Pour Sadie, qui adore les animaux.
Et pour Fluffy, Buffy et Mango... qui sont des animaux !

B.M.

Titre original : *Wild Born*

© 2013, Scholastic Inc.
Tous droits réservés, reproduction même partielle interdite.
Publié avec l'autorisation de Scholastic Inc.,
557 Broadway, New York, NY 10012, USA.
Spirit Animals (Animal Tatoo) et tous les logos qui y sont associés
sont des marques déposées de Scholastic INC.
Carte : Michael Walton
Illustration de couverture : Angelo Rinaldi

© 2013, Bayard Éditions,
pour la traduction française.
18, rue Barbès, 92128 Montrouge Cedex
Dépôt légal : septembre 2014
ISBN : 978-2-7470-8110-8

Loi n° 49-956 du 16 juillet 1949 sur les publications destinées à la jeunesse.
Dixième édition - octobre 2021

BRANDON MULL

LES QUATRE ÉLUS

Traduit de l'anglais (États-Unis)
par Vanessa Rubio-Barreau

bayard jeunesse

ERDAS

ZHONG

Jaxo
Rion

Xin Kao Dai

Shar
Liwao

NILO

OCEANUS

Les Cent Îles

Stetriol

Briggan

Si on lui avait laissé le choix, Conor n'aurait
sûrement pas passé le jour le plus important
de sa vie à aider Devin Trunswick à s'habiller. En toute honnêteté, il aurait préféré ne pas avoir
à le fréquenter du tout.

Mais Devin était le fils aîné d'Éric, comte de
Trunswick, alors que Conor était le troisième
garçon de Fenray, un simple berger. Il travaillait

depuis un an comme domestique au service du comte afin d'éponger les dettes de son père... et il en avait encore pour deux ans !

Conor devait s'assurer que le pardessus de Devin tombait parfaitement, sans le moindre pli, ou il en entendrait parler pendant des semaines. Le vêtement était fin, très beau, mais absolument pas pratique. Et, s'il avait dû affronter le froid, Devin aurait sûrement regretté de ne pas porter un manteau plus simple, mais qui tienne chaud.

– Tu as fini de t'agiter dans mon dos ? demanda Devin d'un ton impatient.

– Désolé, monseigneur. Il y a quarante-huit fermoirs à attacher. J'en suis au quarantième.

– Auras-tu terminé avant que je meure de vieillesse ? On dirait que tu le fais exprès ! Ou alors tu ne sais pas compter ?

Conor se retint de répliquer. Il avait passé toute son enfance à compter les moutons, il était sans doute plus doué pour cela que son maître. Mais il ne voulait pas s'attirer d'ennuis, même si parfois Devin lui cherchait querelle.

La porte s'ouvrit brusquement et Dawson, le petit frère de Devin, fit irruption dans la pièce.

– Tu n'es pas encore prêt?

– Ce n'est pas ma faute. Demande à Conor, il dort debout!

– Ah oui? Tout ce que tu racontes est pourtant passionnant, se moqua Dawson.

Conor se mordit les lèvres pour ne pas sourire. Ce gamin avait la langue bien pendue. Il était parfois pénible... mais aussi tellement drôle!

– Je me dépêche, marmonna-t-il.

– Tu n'as pas encore fini! se plaignit Devin. Il t'en reste combien?

– Cinq!

Le petit se posta devant son grand frère.

– Tu crois que tu vas faire apparaître un animal totem, Devin?

– C'est évident! répliqua celui-ci avec suffisance. Grand-père avait invoqué une mangouste et père, un lynx.

C'était un jour de fête à Trunswick : le jour de la cérémonie du Nectar. Dans moins d'une heure, tous les enfants de la région ayant fêté leurs onze ans ce mois-ci essaieraient de faire apparaître leur animal totem. Conor savait que ce lien particulier entre un individu et son totem était plus fréquent dans certaines familles que dans d'autres. Cependant, il s'agissait d'un phénomène assez imprévisible. Aujourd'hui, trois enfants devaient boire le Nectar, mais rien ne garantissait que l'un d'eux réussirait. En tout cas, ce n'était pas très malin de la part de Devin de se vanter ainsi.

– À ton avis, le tien, ce sera quoi ? le questionna Dawson.

– On peut ouvrir les paris, proposa son frère. Qu'est-ce que tu dirais ?

– Un hamster !

Comme Devin tentait de lui flanquer un coup, le petit l'esquiva en pouffant. Il portait une tenue moins formelle que son aîné, qui le laissait plus libre de ses mouvements. Mais Devin réussit tout de même à le plaquer au sol.

– Je penserais plutôt à un ours, fit-il en lui enfonçant son coude dans les côtes. Ou un chat sauvage, comme père. Et tu seras son premier repas !

Conor serra les poings, brûlant d'envie d'intervenir.

– Si ça se trouve, il ne se passera rien, suggéra Dawson, bravache.

– Dans ce cas, je deviendrai comte de Trunswick et tu devras m'obéir.

– Pas tant que père sera vivant.

– Tiens ta langue, Dawson. Tu n'es que le deuxième fils !

– Et j'suis bien content de ne pas être à ta place.

Devin lui pinça le nez jusqu'à ce qu'il couine, puis se leva en époussetant son pantalon.

– Au moins, moi, je n'ai pas le nez en sang !

– Conor va boire le Nectar aussi ! Et si c'est lui qui a un animal et pas toi ? osa suggérer Dawson.

Conor aurait voulu disparaître dans un trou de souris. Bien sûr qu'il espérait avoir un animal totem ! Comme tout le monde ! Même si ce n'était pas arrivé dans sa famille depuis un lointain grand-oncle des dizaines d'années auparavant, ce n'était pas impossible.

– Bien sûr ! s'esclaffa Devin. Et la fille du forgeron aussi, pendant que tu y es !

– Pourquoi pas ? répliqua Dawson en se tenant le nez. Qu'est-ce qui te plairait, comme animal, Conor ?

Ce dernier fixa la pointe de ses souliers. Un noble venait de l'interroger, il se devait donc de répondre.

– Je me suis toujours bien entendu avec les chiens. Alors un chien de berger...

– Quelle imagination ! se moqua Devin. Le fils du berger rêve d'avoir un chien de berger.

– Un chien, c'est amusant, affirma Dawson.

– Et banal. Tu as combien de chiens, Conor ?

– Chez moi ? Dix, la dernière fois que j'ai vu ma famille.

– C'était quand ? s'enquit le petit.

– Il y a plus de six mois, répondit Conor d'un ton qu'il voulait détaché.

– Ils seront là, aujourd'hui ?

– Je pense qu'ils vont essayer de venir. Ça dépendra s'ils arrivent à se libérer.

Il s'efforçait de ne pas montrer à quel point il serait déçu si ce n'était pas le cas.

– Bon, il reste combien de fermoirs ? s'impatienta Devin.

– Trois.

– Cesse donc de lambiner ! On va être en retard !

Une assemblée nombreuse s'était attroupée sur la place. Ce n'était pas tous les jours que le fils d'un seigneur tentait d'invoquer son animal totem. Tout le village s'était déplacé pour l'occasion, le peuple comme les nobles, les jeunes aussi bien que les vieux. On avait prévu des musiciens pour l'ambiance, des soldats pour la sécurité, un marchand ambulant pour vendre des pralines et une estrade pour accueillir le comte et sa famille. C'était vraiment jour de fête.

De plus, on avait réuni un grand nombre d'animaux, car, selon la croyance populaire, leur présence accroissait les chances d'invoquer un animal totem. Il y avait toutes sortes d'animaux domestiques, mais aussi des volières remplies d'oiseaux au plumage coloré, un enclos contenant un cerf et un élan, plusieurs lynx en cage et un ours brun enchaîné à un poteau. Conor repéra même un animal dont il n'avait jusqu'alors entendu parler que dans les contes : un immense chameau surmonté de deux bosses veloutées.

En approchant du centre de la place, Conor sentit peser sur lui le regard des badauds. Qu'était-il censé faire de ses mains ? Croiser les bras pour éviter qu'elles pendent de chaque côté ? Il scruta la foule, intimidé, en se répétant que les gens venaient surtout voir Devin.

Soudain, il aperçut sa mère qui lui faisait signe. Ses grands frères étaient avec elle, et son père aussi. Ils avaient même amené Soldat, son chien de berger préféré.

Ils avaient pu venir, alors ! Ça le rassurait un peu, mais soudain le mal du pays le submergea : il aurait tant aimé pouvoir courir dans les prés, se baigner dans les ruisseaux, explorer les bosquets... La gorge serrée, il répondit à ses parents en agitant la main.

Devin et Conor se dirigèrent vers un banc qui trônait au centre de la place. Abby, la fille du forgeron, les y attendait, les mains sur les genoux, complètement effarée. Elle avait mis ses habits du dimanche, qui avaient l'air de haillons comparés aux robes de la mère et de la sœur de Devin. Conor était conscient qu'il devait lui aussi paraître bien mal attifé par rapport au futur comte.

Il vit deux Capes-Vertes devant le banc. Il ne connaissait que la femme, Isilla, avec ses cheveux gris relevés en chignon. Son chardonneret, Frida, était perché sur son épaule. C'était elle qui présidait toutes les cérémonies du Nectar au village. Elle avait administré la potion à ses deux frères aînés.

En revanche, il n'avait jamais croisé l'autre. Un homme, grand, mince, aux épaules larges et aux traits aussi parcheminés que sa tenue. Il avait la peau plus mate que les habitants de l'Eura, comme s'il venait d'un autre continent : du Nilo ou du Zhong. Son animal totem n'était pas en vue, mais Conor repéra un tatoo sur son poignet, à demi caché sous sa manche, ce qui signifiait que son animal était au repos.

Une fois les trois enfants assis sur le banc, Isilla leva les bras, réclamant le silence.

– Oyez, oyez, braves gens de Trunswick ! Nous sommes réunis aujourd'hui devant hommes et bêtes afin de pratiquer le rituel le plus sacré d'Erdas. Quand humains et animaux s'unissent, leurs talents se démultiplient. Nous sommes ici pour voir si ce don se révélera chez l'un de ces trois candidats : monseigneur Devin Trunswick ; Abby, fille de Grall ; et Conor, fils de Fenray.

Les applaudissements qui saluèrent le nom de Devin étouffèrent presque la mention des deux autres. Le futur comte allait d'abord prendre le Nectar, eu égard à son rang. La rumeur disait que le premier avait plus de chances de faire apparaître un animal totem.

Isilla se pencha pour saisir une outre en cuir ouvragé. Elle la leva au-dessus de sa tête, à la vue de tous, avant d'en ôter le bouchon.

– Approche, Devin Trunswick.

Le garçon s'exécuta sous les acclamations de la foule, qu'Isilla fit taire en posant un doigt sur ses lèvres. Devin s'agenouilla devant elle.

– Bois le Nectar de Ninani.

Avec un frisson d'excitation, Conor regarda le garçon porter l'outre à ses lèvres. Dans un instant, Devin allait peut-être enfin voir apparaître un animal totem ! Au milieu de toutes ces bêtes, le Nectar agirait sûrement...

Devin avala sa gorgée. Isilla recula d'un pas. Les paupières closes, le garçon renversa son visage vers le ciel. L'assemblée le fixait en silence. Le temps semblait suspendu. Puis quelqu'un toussa. Rien d'extraordinaire ne se produisait. Perplexe, Devin examina les alentours.

Conor avait entendu dire que, si un animal totem devait apparaître, c'était juste après la prise du Nectar. Devin se leva pour scruter les environs. Rien de rien. Un léger murmure monta de la foule.

Isilla hésita, jetant un coup d'œil inquiet vers l'estrade. Le comte était assis bien droit sur son trône, son lynx à ses côtés. Bien qu'il ait un animal totem, il avait choisi de ne pas endosser la cape verte.

La maîtresse de cérémonie se tourna vers son collègue, l'étranger, qui hocha subrepticement la tête.

– Merci, Devin, fit-elle. Abby, fille de Grall, approche-toi.

Devin était affreusement vexé. Il gardait les yeux rivés droit devant lui, mais sa posture trahissait son malaise. Il lança un regard furtif à son père avant de baisser la tête. Lorsqu'il la releva, l'expression de son visage s'était durcie, la honte avait laissé place à la colère. Conor se détourna. Mieux valait éviter de l'irriter davantage.

Abby avala la gorgée de Nectar et, comme rien ne se produisait, elle se rassit sur le banc.

– Conor, fils de Fenray, approche.

En entendant son nom, il se redressa. Si Devin n'avait pas fait apparaître un animal totem, il doutait d'y parvenir. Enfin, tout pouvait arriver... Jamais il n'avait été ainsi au centre de toutes les attentions. Il se mit debout, en s'efforçant d'ignorer la foule pour se concentrer sur Isilla, sans grand succès.

Il allait enfin boire ce fameux Nectar. Selon son frère aîné, il avait le goût du lait de chèvre tourné, mais Wallace adorait le taquiner. Son autre frère, Garrin, avait plutôt parlé de cidre.

Conor se passa la langue sur les lèvres. Quel que soit sa saveur, cette simple gorgée de Nectar marquait la sortie de l'enfance. Dans une minute, il serait officiellement un adulte.

Conor s'agenouilla devant Isilla. Elle le dévisagea avec un étrange sourire aux lèvres, les yeux pétillants. Avait-elle regardé les deux autres de cette façon ?

– Bois le Nectar de Ninani.

Conor porta l'outre à ses lèvres.

Le Nectar était épais et très sucré, semblable à du sirop. Mais, une fois dans sa bouche, il devint plus liquide. Le garçon l'avala. Délicieux ! Il n'avait jamais rien goûté de meilleur !

Isilla lui enleva la gourde avant qu'il ait pu en reprendre. Il n'en aurait pas plus de toute sa vie. Une gorgée par enfant.

Alors qu'il se relevait pour regagner le banc, une étrange chaleur envahit sa poitrine.

Dans la foule, les animaux s'agitèrent. Les oiseaux pépiaient. Les lynx feulaient. L'ours gronda. L'élan poussa une sorte de meuglement. Le chameau blatéra en grattant le sol du sabot.

La terre se mit à trembler. Le ciel s'assombrit, comme si un nuage épais cachait soudain le soleil. Une lumière vive transperça la pénombre tel un éclair, mais beaucoup plus proche, plus proche encore que le jour où Conor avait vu la foudre s'abattre sur un arbre au sommet de la colline.

Les spectateurs échangeaient des murmures ébahis. Ébloui par la clarté, Conor cligna les yeux. La sensation de chaleur, accompagnée d'un fourmillement, avait gagné ses membres. Malgré l'étrangeté de la situation, une joie immense lui gonflait le cœur.

C'est alors qu'il vit le loup.

Comme la plupart des bergers de la région, Conor avait l'habitude des loups. Ils lui volaient fréquemment les moutons qu'il surveillait et ils avaient tué trois de ses chiens préférés. C'était même en partie à cause des dégâts qu'ils causaient que son père s'était endetté auprès du comte. Et puis, deux ans auparavant, une nuit, Conor et ses frères avaient tenu tête à une meute déchaînée qui s'était attaquée à leur enclos dans les hauts pâturages.

Cependant la bête qui se tenait devant lui, tête dressée, était extraordinaire à tout point de vue. Haute sur pattes, bien nourrie, avec un somptueux pelage gris-blanc. Conor remarqua ses longues griffes, ses dents acérées et ses yeux d'un bleu vif.

Des yeux bleus?

Dans toute la mythologie d'Erdas, un seul loup possédait de tels yeux.

Conor regarda le drapeau euranien surmontant l'estrade du comte. Briggan le loup, protecteur d'Eura, y figurait sur un fond bleu marine, qui faisait ressortir ses yeux perçants.

Le loup s'avança tranquillement et s'arrêta juste devant Conor. Il s'assit à la manière d'un chien bien dressé obéissant à son maître. Il lui arrivait plus haut que la taille !

Le garçon se raidit, résistant à l'envie de fuir. En d'autres circonstances, il aurait pris ses jambes à son cou ou crié pour effrayer la bête. Il lui aurait jeté des pierres ou il se serait armé d'un bâton pour se défendre. Mais il ne s'agissait pas là d'une rencontre fortuite en pleine nature. Tout son corps fourmillait, vibrait presque, et il était face à des centaines de spectateurs... devant un loup surgi de nulle part !

L'animal posa sur lui un regard assuré. Il avait beau être énorme et sauvage, il semblait extrêmement calme. Conor était stupéfait qu'un prédateur de cette envergure lui témoigne tant de respect.

Il lisait dans ses yeux bleus plus d'intelligence qu'il n'aurait cru possible chez un animal. Le loup attendait quelque chose.

Conor tendit une main tremblante, le loup la lécha de sa langue rose et chaude, et l'étrange fourmillement qui avait envahi le garçon cessa brusquement.

L'espace d'un instant, il eut l'impression d'être plus brave, plus alerte, plus clairvoyant que jamais. Ses sens aiguisés lui permirent de détecter l'odeur du loup et d'en déduire que c'était un mâle et qu'il le considérait comme son égal.

Mais cela ne dura pas, cette capacité de perception extraordinaire le quitta.

Malgré toutes les preuves qu'il avait sous les yeux, c'est en découvrant l'expression de Devin Trunswick que Conor comprit ce qui venait de se produire. Jamais il n'avait suscité une telle fureur, une telle envie. Il venait de faire apparaître un animal totem !

Et pas n'importe lequel. Un loup. Mieux encore, Briggan le Loup, l'une des Bêtes Suprêmes, une créature de légende ! C'était impossible.

Et pourtant, fait aussi indéniable qu'inexplicable, ce loup aux yeux bleu vif était en train de lécher la main de Conor !

La foule en resta bouche bée. Sur son estrade, le comte se pencha en avant, intrigué. Devin bouillait de rage. Quant à Dawson, il ne pouvait s'empêcher de sourire, ravi.

L'étranger en cape verte s'approcha pour serrer la main de Conor en annonçant à voix basse :

– Je m'appelle Tarik. Je suis venu de très loin pour te rencontrer. Si tu restes près de moi, je te protégerai. Je ne t'obligerai pas à formuler tes vœux tant que tu n'es pas prêt, mais tu devras m'écouter. Tout dépend de toi.

Conor acquiesça, hébété.

Cela faisait beaucoup d'informations à digérer.

L'homme leva la main de Conor bien haut avant de reprendre d'une voix forte :

– Bonnes gens de Trunswick ! La grande nouvelle se répandra bientôt dans tout l'Erdas ! En ces temps de crise, Briggan nous est revenu !

Uraza

Abéké se frayait un chemin à travers les hautes herbes, courbée, à pas lents mais réguliers. Elle avançait avec précaution, en silence, comme son père le lui avait appris. Un mouvement brusque, un bruit soudain risquaient d'effrayer l'animal.

Si sa proie s'enfuyait, elle n'aurait pas le temps d'en débusquer une autre.

L'antilope baissa la tête pour brouter un peu. Elle était jeune, mais elle n'aurait aucun mal à semer Abéké. Qu'elle détale, et la chasseuse rentrerait bredouille.

Abéké se figea et arma son arc. Lorsqu'elle le banda, l'arc grinça. L'antilope releva aussitôt la tête. Trop tard : la flèche fila et se planta dans son flanc, transperçant cœur et poumons. L'animal tituba brièvement avant de s'effondrer.

Cette antilope était providentielle pour le village. À cause de la sécheresse, la nourriture était rare. Abéké s'agenouilla auprès du corps pour lui parler d'une voix douce :

– Je suis désolée de t'avoir ôté la vie, mon amie. Mais nous avons besoin de ta viande au village. Je me suis approchée tout près et j'ai bien visé pour que tu souffres le moins possible. Je t'en prie, pardonne-moi.

Abéké jeta un regard vers le ciel clair. Le soleil avait progressé plus qu'elle ne l'aurait cru. Pendant combien de temps avait-elle traqué sa proie ? Heureusement, elle avait trouvé un gibier assez facile à porter. Elle hissa l'antilope en travers de ses épaules et prit le chemin du retour.

Le soleil dardait ses rayons implacables sur la plaine poussiéreuse. Les herbes étaient sèches, cassantes, les buissons, ratatinés et assoiffés. Quelques baobabs isolés se dressaient dans le lointain, avec leurs troncs épais, leurs branchages entremêlés rendus flous par les vagues de chaleur.

Abéké tendait l'oreille, aux aguets. Les humains ne constituaient en principe pas une proie de choix pour les félins, mais quand la nourriture devenait rare on pouvait s'attendre à tout. De plus, les félins n'étaient pas les seuls animaux dangereux qui rôdaient dans la savane du Nilo. Quiconque franchissait les palissades du village prenait un risque.

Plus Abéké avançait, plus son fardeau lui pesait. Mais elle était grande pour son âge, elle avait toujours été très forte et elle avait hâte de montrer sa prise à son père. Aussi s'efforçait-elle d'ignorer la chaleur.

D'habitude, c'était les hommes qui chassaient. Les femmes s'aventuraient rarement seules hors du village. Voilà pourquoi tout le monde serait surpris qu'elle ait attrapé une antilope ! Quelle belle façon de fêter son onzième anniversaire !

Sa sœur, Soama, était certes plus belle, plus douée pour la danse et le chant, plus habile pour le tissage et même pour la poterie... mais elle n'avait jamais tué la moindre bête.

L'an passé, pour ses onze ans, Soama avait réalisé une tapisserie représentant des hérons survolant une mare. Tout le village s'était extasié sur son travail, d'une qualité extraordinaire pour une si jeune artiste.

Mais, en cas de famine, qu'ils essaient donc de le manger ! Les perles brillantes de la mare étancheraient-elles leur soif ? Les hérons brodés leur rempliraient-ils l'estomac ?

Abéké ne put s'empêcher de sourire. À sa connaissance, aucun enfant n'avait jamais rapporté de gibier pour sa cérémonie. Au moins son cadeau allait-il être utile. Le village n'avait pas besoin d'une énième jarre, surtout qu'il n'y avait presque plus d'eau !

Pour éviter d'être repérée par les guetteurs, Abéké s'approcha furtivement du village. Elle rentra par où elle était sortie en écartant les lattes branlantes de l'enceinte surplombant le fossé. Ce n'était pas facile avec la bête sur les épaules, mais elle réussit.

Il ne lui restait pas beaucoup de temps avant la cérémonie. Ignorant les regards curieux des voisins, Abéké fila chez elle.

Comme la plupart des maisons du village, sa case était ronde, en pierre, surmontée d'un toit de paille.

Lorsqu'elle fit irruption à l'intérieur, elle trouva Soama qui l'attendait, splendide avec son pagne orange et son écharpe brodée. Abéké n'était pas laide, mais elle avait depuis longtemps abandonné l'idée de rivaliser de beauté avec sa sœur. Elle préférait porter des vêtements pratiques et ses cheveux nattés, attachés en arrière.

– Abéké ! s'écria Soama. Où étais-tu passée ? Père est au courant que tu es rentrée ?

– J'étais partie chasser, expliqua-t-elle avec fierté, son antilope toujours sur le dos. Toute seule.

– Tu as franchi la palissade ?

– Parce que tu crois que j'aurais pu trouver une antilope dans le village ?

Soama porta la main à son front.

– Abéké, tu as disparu sans prévenir ! Père s'est fait du souci. En plus, tu vas être en retard pour ta cérémonie.

– Mais non, c'est bon, lui assura sa sœur. Je vais me dépêcher, je ne fais pas autant de manières que toi. Personne n'osera rien dire quand je montrerai mon gibier.

Dans son dos, la porte s'ouvrit. En se retournant, elle se retrouva face à son père, un homme grand, mince et musclé, à la tête rasée. Il avait l'air furieux.

– Abéké ! Chinwe m'a prévenu que tu étais rentrée. J'allais lancer des hommes à ta recherche.

– Je voulais offrir un beau cadeau au village pour ma cérémonie, expliqua-t-elle. J'ai rapporté cette antilope.

Son père ferma les yeux en poussant un profond soupir. Il avait du mal à contrôler le ton de sa voix.

– Abéké. C'est un jour très important pour toi. Tu es en retard. Couverte de terre et de sang. Ta disparition a plongé tout le village dans l'angoisse. As-tu une once de bon sens ? De dignité ?

Abéké se recroquevilla, toute sa joie envolée. Sur le coup, elle ne trouva pas quoi répliquer.

– Mais... je ne voulais pas mal faire. Tu sais comme je chasse bien. C'était une surprise...

Son père secoua la tête.

– C'est très égoïste. Et idiot. Tu ne peux pas offrir cette antilope comme cadeau pour le jour de ta cérémonie. C'est une preuve de ta désobéissance. Quelle image cela donnerait-il de notre famille ? Et quel exemple pour les autres enfants ! Tu vas offrir la jarre que tu as fabriquée.

– Mais elle est affreuse ! protesta-t-elle, au désespoir. Un singe aurait fait mieux. Je n'ai aucun talent...

– Tu n'as surtout fait aucun effort, répliqua son père. Revenir en vie avec du gibier montre que tu es douée, mais aussi que tu manques cruellement de discernement. Nous discuterons de ta punition plus tard. Prépare-toi. Je vais prévenir les autres que la cérémonie aura bien lieu finalement. Soama va t'aider. Si tu prenais modèle sur elle, tu nous ferais moins honte.

Abéké baissa la tête.

– Oui, père.

Une fois son père parti, elle se déchargea de son fardeau. Il avait raison, elle était couverte de terre et de sang. Elle contempla l'antilope, accablée. Son trophée était devenu synonyme d'humiliation.

Abéké avait du mal à retenir ses larmes. Tout tournait toujours autour de Soama. Qui était si sage. Si gentille. Si douée. Aujourd'hui, Abéké devait boire le Nectar de Ninani. C'était son jour à elle ! Un jour unique. Allait-elle faire apparaître un animal totem ? Sans doute pas. Mais elle allait devenir une femme. Une vraie citoyenne du village.

Sa mère lui manquait tellement. Elle la comprenait mieux que quiconque. Mais elle était de santé fragile et la maladie avait fini par l'emporter.

Une larme roula sur la joue d'Abéké.

– Pas le temps de pleurnicher, intervint sa sœur. Tu as déjà l'air assez misérable comme ça.

Serrant les dents, Abéké ravala ses sanglots. De toute façon, elle ne voulait pas que sa sœur la voie pleurer.

– Qu'est-ce que je dois faire ?

Soama s'approcha pour lui essuyer le visage.

– Finalement, tu ferais peut-être bien de pleurer.
Ça économiserait de l'eau pour te laver.

– Je ne pleure jamais.

– On va te nettoyer alors.

Abéké devint aussi docile qu'une poupée. Elle
ne râla pas contre les coups de brosse ou le chif-
fon à peine humidifié. Elle ne donna pas son avis
sur sa tenue ou ses accessoires. Elle laissa Soama
s'occuper de tout, en s'efforçant de ne pas regarder
son antilope.

Lorsqu'elle ressortit enfin de la case, tout le
monde l'attendait.

Les villageois avaient formé une haie de chaque
côté de la porte, jusqu'à la place du village. Abéké
avait tant rêvé de ce jour. Elle avait envié les autres
avant elle.

Mais son père la fixait d'un regard sévère,
comme la plupart des hommes. Certaines femmes
la toisaient avec dégoût, d'autres avec pitié. Ses
jeunes camarades ricanaient.

Abéké s'avança parmi les gens de son village,
avec le sentiment amer de les avoir déçus. Elle

aurait voulu s'enfuir pour être dévorée toute crue par un lion.

Mais elle serra son affreuse jarre entre ses mains, la tête haute, et marcha droit devant elle. Le vent s'était levé, soulevant la poussière. Un nuage cacha le soleil. Abéké ne souriait pas, le visage impassible.

Elle suivit l'allée formée par les villageois, qui, aussitôt après son passage, rompaient les rangs pour lui emboîter le pas.

Abéké repéra Chinwe au bout du chemin, sa cape verte drapée sur une épaule. On apercevait son tatoo de gnou sur sa cheville fine.

À l'approche de la jeune fille, Chinwe se mit à chanter. Les villageois répétaient chaque phrase dans l'ancien dialecte tribal. Abéké ne comprenait pratiquement pas un mot, mais c'était la tradition.

Quand elle arriva devant Chinwe, elle s'agenouilla, la terre sèche égratignant ses genoux nus. Sans cesser son incantation, Chinwe trempa un petit bol dans une grande calebasse et posa les yeux sur Abéké. Elle ne paraissait pas lui en vouloir ni condamner son comportement. Elle avait exactement la même attitude que pour toutes les cérémonies : détendue, peut-être même un peu indifférente.

Elle lui tendit le bol. Il n'y avait qu'un peu de liquide dans le fond. Aussi clair que de l'eau, mais plus épais. Abéké le but. Le Nectar avait un goût de soupe froide, comme celle que préparait sa mère en écrasant des noix. Juste un peu plus sucré. Ce souvenir lui fit monter les larmes aux yeux.

Chinwe reprit le bol tout en continuant à chanter.

Abéké avait la tête qui tournait. Elle était submergée d'émotions, de sensations. Était-ce normal ? Elle repéra l'odeur âcre de la pluie portée par le vent. Elle aurait pu dire qui chantait faux ou juste dans toute l'assemblée. Elle distinguait même les voix de son père et de sa sœur parmi celles des autres.

Le ciel gronda et s'obscurcit. Tout le monde leva les yeux, en se taisant brusquement.

Abéké n'avait assisté à l'apparition d'un animal totem qu'une seule et unique fois. C'était Hano, le neveu de l'ancien faiseur de pluie, qui l'avait invoqué. Elle avait six ans à l'époque, un halo de lumière avait entouré le jeune garçon et un fourmilier en était sorti d'un pas tranquille.

Aujourd'hui, la lueur était beaucoup plus vive, une colonne éblouissante s'était formée devant elle, plus intense encore qu'un feu de joie. Elle jeta d'immenses ombres dansantes dans le village, arrachant des cris de panique à la foule, puis s'éteignit brusquement, laissant place à une panthère.

Tremblant de la tête aux pieds, Abéké la fixa, stupéfaite. Elle était puissante, musclée, presque de la taille d'un lion. Son pelage luisant était lustré. Dans la nature, jamais Abéké ne se serait approchée autant d'une telle bête. Elle recula d'instinct, saisie d'une irrésistible envie de fuir.

Mais la panthère se frotta contre sa hanche. Abéké se redressa, abasourdie par son comportement. L'animal aurait pu la dévorer d'une seule bouchée !

– On dirait Uraza ! s'écria un enfant, rompant le silence.

Son commentaire suscita une vague de murmures. La panthère s'éloigna de quelques pas d'Abéké, comme si elle se désintéressait de la jeune fille, avant de la fixer à nouveau. En effet, le félin ressemblait à Uraza. Il avait les mêmes yeux violets, scintillants comme des améthystes.

Mais c'était impossible, on ne pouvait pas faire apparaître une Bête Suprême !

Le tonnerre gronda et la pluie se mit à tomber. Doucement d'abord, puis de plus en plus dru. Les gens tendirent le visage vers le ciel, la bouche ouverte, les bras écartés. Rires et cris de joie accueillirent l'eau tant désirée.

Quelqu'un agrippa le poignet d'Abéké. C'était Chinwe. Une fois n'est pas coutume, elle souriait.

– Je crois que nous avons trouvé notre nouvelle faiseuse de pluie.

L'ancien faiseur était mort deux ans plus tôt. Et le village d'Okaihee n'avait pas vu la pluie depuis. Quelques orages étaient passés tout près, mais pas une seule goutte n'était tombée à l'intérieur de l'enceinte. Les puits s'étaient asséchés. On avait organisé plusieurs réunions pour savoir comment briser la malédiction.

– Faiseuse de pluie ? répéta Abéké.

– Difficile de le nier, répliqua Chinwe.

Le père d'Abéké s'approcha, fixant la panthère d'un œil méfiant.

– On devrait rentrer.

Abéké le dévisagea à travers le rideau de pluie.

– C'est incroyable, hein ?

– Oui, j'ai du mal à y croire.

Il paraissait distant. Était-il encore en colère contre elle ?

– Votre fille vient de mettre fin à la sécheresse, déclara Chinwe.

– On le dirait.

– Et elle a invoqué une panthère. Peut-être même *la* panthère.

Son père acquiesça pensivement.

– La protectrice du Nilo. Qu'est-ce que ça signifie, Chinwe ?

– Je l'ignore, avoua-t-elle. Cela va à l'encontre de... Il faut que je consulte quelqu'un qui a une meilleure vision de ces choses.

Le père d'Abéké jeta un regard à la panthère.

– Est-elle dangereuse ?

– Elle ne lui fera aucun mal. C'est son animal totem.

Il contempla longuement sa fille, malgré les grosses gouttes qui tambourinaient sur son crâne chauve.

– On dirait que la pluie veut rattraper le temps perdu. Viens.

Courant derrière lui, dans son pagne trempé, elle essayait de comprendre pourquoi il semblait toujours lui en vouloir.

– Tu es déçu? demanda-t-elle.

Il s'arrêta pour la prendre par les épaules sous les torrents de pluie.

– Je suis perdu. Je devrais me réjouir que tu aies fait apparaître un animal totem. Mais il s'agit d'une panthère! Et pas n'importe laquelle... Une bête qui ressemble à notre protectrice légendaire. Tu n'as jamais rien fait comme tout le monde. Et là, c'est le summum! Cet animal va-t-il nous apporter le bien ou le mal? Je ne sais que penser!

La panthère laissa échapper un grognement sourd, pas franchement menaçant, mais pas non plus très amical. Le père d'Abéké tourna les talons pour reprendre le chemin de la maison. L'animal suivit, fermant la marche. Lorsqu'ils arrivèrent à la porte, un étranger les guettait. Il était vêtu à la mode euranienne: bottes, pantalon et somptueuse cape bleue, dont la capuche le protégeait de la pluie et masquait son visage.

Le père d'Abéké s'arrêta devant lui.

– Que voulez-vous ?

– Je m'appelle Zerif, répondit l'homme d'une voix chantante. Je viens de très loin. Votre fille a accompli l'impossible, comme l'avait prédit voici des semaines Yumaris l'Indiscutable, la plus clair-voyante des habitantes d'Erdas. Ce qui s'est produit aujourd'hui va changer la face du monde. Je suis là pour vous servir.

– Alors entrez, je vous en prie, répondit-il. Je m'appelle Pojalo.

Quand ils pénétrèrent dans la maison, la pan-thère les suivit tranquillement.

Soama les attendait, un peu mouillée, mais pas trempée. Elle avait dû se dépêcher de rentrer.

– Alors la voilà..., murmura-t-elle en observant la panthère, l'air inquiet. Je crois rêver !

– Elle est belle, pas vrai ? fit Abéké, espérant impressionner sa sœur.

La panthère renifla le sol, ici et là, avant de s'allonger à ses pieds. Abéké se pencha pour caresser son pelage humide, dont l'odeur puissante ne la dérangeait pas.

– Je ne suis pas rassurée, fit Soama.

Elle se tourna vers son père.

– Cette bête est vraiment obligée de rester à l'intérieur avec nous ?

– Elle ne doit pas me quitter, répliqua aussitôt Abéké.

L'étranger ôta sa capuche. Il était entre deux âges, avec la peau métisse assez claire et un bouc soigneusement taillé.

– Je peux peut-être vous aider. Vous devez être un peu perdus. Quand tu t'es réveillée aujourd'hui, Abéké, tu ne pouvais pas te douter que tu allais changer la face du monde.

– D'où venez-vous, Zerif ? le questionna Pojalo.

– Les voyageurs tels que moi viennent de partout et de nulle part à la fois.

– Vous faites partie des Capes-Vertes ? demanda Abéké.

Même s'il n'en portait pas l'habit, elle lui en trouvait la prestance.

– Je suis un des Tatoués, néanmoins je n'ai pas revêtu la cape verte. Je travaille en collaboration avec eux, je suis spécialisé dans tout ce qui concerne les Bêtes Suprêmes. Avez-vous entendu parler des batailles qui font rage au sud du Nilo ?

– J'en ai eu quelques échos, répondit Pojalo. Des invasions étrangères, je crois. Mais ces derniers temps la nourriture et l'eau nous ont manqué, nous étions plus préoccupés par notre propre survie.

– Ces batailles ne sont que le début, affirma Zerif. La guerre s'étendra bientôt non seulement à tout le Nilo, mais à l'Erdas tout entière. Votre fille vient de faire apparaître l'une des Bêtes Suprêmes, ce n'est sans doute pas un hasard.

Pojalo se tourna vers la panthère, paniqué.

– Nous avions bien remarqué qu'elle ressemblait à...

– Il ne s'agit pas d'une simple ressemblance, rectifia Zerif. Abéké a fait revenir Uraza.

– Mais comment..., murmura Soama, effarée.

– Je ne saurais vous dire comment. La seule question qui importe est pourquoi. Je vous propose mon aide. Vous devez réagir vite. Cette panthère vaudra à votre fille de nombreux ennemis.

– Que suggérez-vous ? demanda Pojalo. Abéké est notre nouvelle faiseuse de pluie. Le village a besoin d'elle.

– Son pouvoir apportera bien plus que la pluie, affirma Zerif d'un ton sinistre.

Abéké fronça les sourcils. Cet étranger avait visiblement des projets pour elle, et son père semblait prêt à suivre ses conseils. Comme s'il voulait se débarrasser d'elle !

Zerif se caressa le menton.

– Nous avons tant à faire. Mais commençons par le commencement. Vous avez sans doute remarqué qu'Uraza était nerveuse. Il faut lui donner cette antilope ou bien l'en éloigner.

Jhi

Assise sur un coussin, devant son miroir, Meilin se maquillait avec application. D'ordinaire, elle laissait à ses femmes de chambre le soin de la préparer pour les fêtes ou les banquets, mais ce n'était pas un jour comme les autres. Aujourd'hui, elle voulait être parfaite. Et, quand on veut que quelque chose soit bien fait, le mieux est de s'en charger soi-même.

Après avoir souligné son regard d'un trait noir, Meilin inspecta son reflet. Les gens s'extasiaient toujours sur son allure. Elle n'avait pas besoin de se peinturlurer le visage pour s'attirer des compliments, mais ces artifices sublimaient sa beauté naturelle.

Unifier le teint et dessiner les lèvres était à la portée de n'importe qui, mais Meilin connaissait des astuces que ses servantes ignoraient : comment fondre le rouge à joues dans la base, éclairer le regard avec des paillettes d'or, apporter un subtil mouvement à ses cheveux pour les mettre en valeur.

Elle se sourit dans la glace. Un sourire timide pour commencer, puis un sourire ravi, l'air surpris, et enfin une grimace. Elle lissa du plat de la main sa robe en soie. Parfait.

On frappa alors à la porte quelques coups hésitants.

– Maîtresse ? fit une voix aiguë. Tout va bien ? Puis-je vous aider ?

Kusha l'informait d'une manière polie que les préparatifs de la cérémonie étaient achevés. Les personnalités les plus importantes étaient présentes.

On n'attendait plus que la jeune fille pour débuter les festivités.

– Je suis presque prête, répondit-elle. J'arrive dans un instant.

Meilin ne voulait pas faire patienter les gens trop longtemps, mais ce léger retard lui permettrait d'attirer tous les regards. Les autres candidats avaient déjà bu le Nectar. En tant que fille du général Teng, l'un des cinq chefs militaires de l'armée zhongaise, Meilin le prendrait en dernier. Cet honneur lui avait été réservé dès la naissance. Car, selon la sagesse populaire, la dernière personne à boire le Nectar avait davantage de chances de faire apparaître un animal totem.

Sa mère avait un tel animal, ainsi que ses quatre grands-parents et ses huit arrière-grands-parents. Son père, son grand-père et deux de ses arrière-grands-pères étaient des généraux. Seul l'empereur pouvait se prévaloir d'un meilleur lignage.

Certes, son père n'avait pas d'animal totem, mais ça ne l'avait pas empêché de s'élever dans la hiérarchie militaire à un rang plus élevé que tous ses ancêtres. C'était un homme redoutable, rusé, observateur et absolument sans pitié quand on le provoquait. Il lui avait assuré la veille qu'elle allait faire apparaître un animal totem.

Elle ignorait s'il avait consulté un oracle ou s'il avait eu la vision lui-même, mais il paraissait sûr de lui, et il ne se trompait jamais.

Meilin prit son ombrelle, un accessoire en papier de soie peint, purement décoratif. Elle la posa sur son épaule avant de jeter un dernier regard dans le miroir.

Elle sursauta en entendant frapper à la porte, plus fort cette fois. Il ne s'agissait pas d'une femme de chambre.

– Oui ? répondit-elle.

– Êtes-vous dans une tenue décente ? demanda une voix d'homme.

– Oui.

La porte s'ouvrit. C'était le général Chin, le bras droit de son père, dans son uniforme d'apparat. Était-elle en retard à ce point ?

– Que se passe-t-il, général ?

– Veuillez m'excuser pour cette intrusion...

Il s'interrompit pour s'humecter les lèvres, hésitant, comme s'il cherchait ses mots.

– J'ai... de mauvaises nouvelles. L'envahisseur a franchi les frontières de notre continent. Il faut procéder à la cérémonie au plus vite avant de quitter les lieux.

– Le Zhong est attaqué ?

– Vous avez dû entendre parler des troubles dans le Sud-Est...

– Bien sûr, confirma Meilin.

Son père ne lui cachait presque rien, pourtant il n'avait pas évoqué de menace sérieuse.

– Nous venons d'être informés que ces troubles étaient les prémices d'une véritable invasion. Votre père s'y était préparé, mais nos ennemis sont plus nombreux et mieux armés qu'il ne l'avait supposé.

Le général Chin déglutit avant de conclure :

– La ville de Shar Liwao est tombée entre leurs mains. Nous sommes officiellement en guerre.

Meilin en resta sans voix. Elle avait du mal à croire ce que le général venait de lui annoncer. Shar Liwao était l'un des principaux ports zhongais.

Alors c'était ainsi que débutaient les guerres ? Un jour qui aurait dû être parfait ? Certes, il n'y avait pas meilleur général que son père dans le monde d'Erdas, mais, en temps de guerre, plus rien n'était sûr. Une flèche perdue pouvait abattre le plus puissant héros. En temps de guerre, plus personne n'était en sécurité.

— Toute la ville est tombée ? demanda Meilin.

— Oui, nous ne connaissons pas encore les détails, mais elle a été la cible d'une attaque éclair. Des rebelles zhongais se sont alliés avec les envahisseurs étrangers.

— Reportons la cérémonie, décréta-t-elle.

— Non, le peuple n'est pas encore informé et nous préférons qu'il en soit ainsi pour le moment. Surtout ne dites rien.

Meilin acquiesça.

— Très bien, je jouerai mon rôle. Mais mon père peut partir, c'est une urgence.

— Il tient à vous voir boire le Nectar avant.

Meilin sortit de ses appartements à la suite du général. Elle ignora les questions de ses femmes de chambre, qui leur emboîtèrent le pas. Leur demeure jouxtait le champ de parade, ils n'avaient donc pas loin à aller.

Ouvrant son ombrelle, Meilin parcourut d'un pas serein l'allée qui menait à l'estrade. Des milliers de gens se tordaient le cou pour l'apercevoir. Le général Chin se tenait à ses côtés, ses médailles étincelant au soleil. La foule les acclama. Les festivités se déroulaient comme d'ordinaire. Le peuple ne pouvait se douter du désastre qui couvait.

Au premier rang, les spectateurs étaient assis. Quand on avait plus d'argent, un meilleur statut, on avait le droit à davantage de confort. Lorsque Meilin approcha, les hauts dignitaires et les marchands se levèrent pour l'applaudir.

Elle leur adressa un sourire le plus naturel possible. Elle salua d'un signe de tête ceux qu'elle reconnaissait, tout en se demandant si, de l'extérieur, on pouvait deviner ce qu'elle ressentait.

Quelqu'un cria son nom. C'était Yenni, un élève de son école. Son père était un fonctionnaire de province. Le garçon ne cachait pas l'affection qu'il lui portait, bien qu'il ait trois ans de plus qu'elle. Quand elle lui sourit timidement, il devint écarlate.

Meilin n'avait jamais embrassé un garçon. Pourtant les occasions n'avaient pas manqué. Elle ne supportait pas qu'on la considère comme un trophée. Non seulement son père était un homme riche, un puissant général, mais en plus elle était jolie et raffinée. Cependant aucun de ces garçons ne la connaissait vraiment. Pour eux, elle n'était qu'un prix à remporter, un défi à relever.

Comment auraient-ils réagi s'ils avaient su son secret ? Sous le maquillage, sous la soie précieuse, elle n'était pas la petite fleur délicate qu'ils imaginaient. Certes, elle était bien élevée. Elle avait appris à peindre, servir le thé, jardiner, réciter des poèmes et même chanter. Mais son passe-temps favori était le combat au corps-à-corps.

Elle avait commencé tout à fait innocemment à l'âge de cinq ans. Son père était un militaire, un homme pragmatique. Il s'était entouré des meilleurs guerriers du Zhong et il avait souhaité transmettre à sa fille les techniques de base du combat pour qu'elle puisse se défendre seule. Il ne se doutait pas qu'elle allait montrer de telles aptitudes ni un tel goût pour les arts martiaux.

Au fil du temps, l'entraînement s'était intensifié. En secret, elle était devenue le fils que son père n'avait jamais eu. Elle pouvait se battre avec un couteau, un gourdin ou une lance. Elle savait manier arc, arbalète et lance-pierre. Mais ce qu'elle préférait, c'était le duel à mains nues.

À peine six semaines après son onzième anniversaire, elle était capable d'affronter les plus grands maîtres. Elle était mince, mais musclée. Une fois qu'elle aurait sa taille adulte, elle ferait une adversaire redoutable.

Meilin espérait que son animal totem améliorerait encore ses aptitudes. En tissant des liens profonds avec son totem, on pouvait acquérir toutes sortes de pouvoirs. Épaulés par le bon animal, ceux qui étaient doués pour le combat devenaient redoutables, et les plus redoutables devenaient invincibles.

Quelle espèce lui serait la plus utile? Son père la surnommait «Petite Tigresse». Alors un tigre, peut-être, ou un léopard des neiges... Un bœuf transmettait une grande force. Elle s'efforçait de ne pas se fixer sur un animal spécial.

La foule la contemplait, les yeux brillants. Seuls les officiels de haut rang savaient que le pays était en guerre. Bientôt, ils seraient accaparés par des activités bien plus sérieuses que la cérémonie du Nectar.

Lorsqu'elle arriva sur l'estrade, Meilin replia son ombrelle pour la tendre à sa servante. Elle vit son père au premier rang des spectateurs, impressionnant dans son uniforme. Elle lui adressa un léger signe de tête et lut l'approbation dans ses yeux. Il admirait son allure et sa prestance.

De nombreux animaux en cage étaient disposés autour de l'estrade, une véritable ménagerie comprenant orangs-outans, tigres, pandas, renards, alligators, grues, babouins, pythons, autruches, bœufs, buffles, et même deux éléphanteaux. Un tel rassemblement était fréquent dans leur province, mais son père s'était assuré que, pour sa cérémonie, l'assortiment soit le plus varié possible.

Sur l'estrade l'attendait Sheyu, le responsable des Capes-Vertes de leur ville, Jano Rion. Comme son léopard tacheté n'était pas dans les parages, elle supposa qu'il était au repos, à l'état de tatoo.

Son père entretenait des rapports ambigus avec les Capes-Vertes. Il les respectait, tout en estimant qu'on leur laissait trop de pouvoir alors qu'ils étaient sous l'influence d'étrangers au royaume. Il n'aimait guère qu'ils soient les seuls à disposer du Nectar et qu'ils se mêlent des affaires de chacun à travers le monde entier.

Meilin devait reconnaître qu'elle les appréciait beaucoup. Et ce pour une raison très simple : l'armée zhongaise n'acceptait pas de femme dans ses rangs, alors que les Capes-Vertes ne s'arrêtaient pas à cela. Ils jugeaient les gens sur leurs capacités.

Meilin remarqua sur l'estrade une femme qu'elle ne connaissait pas. D'après son apparence et sa tenue, elle supposa qu'il s'agissait d'une étrangère. Elle était petite, fine, avec les pieds nus et cet air fragile qui plaisait tant aux hommes. Aux plumes qu'elle portait dans les cheveux, Meilin déduisit qu'elle était Amayaine. Un oiseau exotique aux couleurs chatoyantes était posté à ses côtés.

Sheyu fit signe à Meilin d'approcher. Elle obéit, sans toutefois tourner le dos à la foule, erreur que commettaient systématiquement les amateurs au théâtre. D'une voix perçante, Sheyu entonna le discours rituel, les mêmes mots qu'il prononçait à chaque cérémonie. Meilin se répétait que, si son père s'était trompé et qu'elle n'avait pas d'animal totem finalement, ce ne serait pas si grave. Après tout, il avait bien réussi sa vie quand même, elle saurait aussi se débrouiller sans.

Sheyu lui présenta une carafe en jade. Meilin y trempa les lèvres. Le liquide chaud la surprit. Luttant contre un haut-le-cœur, elle se força à sourire en avalant. Quel goût atroce! Une vague de chaleur se propagea dans son ventre, ses oreilles se mirent à bourdonner.

Le ciel si clair s'obscurcit, puis un violent éclair l'éblouit et elle se retrouva face à un énorme panda. Ses yeux brillaient d'un étrange éclat argenté, comme ceux de Jhi, sur le blason du Zhong.

Il s'approcha d'elle et se dressa pour poser les deux pattes avant sur son torse. Le feu intérieur s'éteignit aussi brutalement qu'il était apparu.

L'espace d'un instant, Meilin se sentit parfaitement détendue. Elle ne jouait plus un rôle devant la foule, elle était elle-même, tout simplement. Elle savoura la chaleur du soleil sur sa peau, le courant d'air qui la rafraîchissait...

Mais ça ne dura pas.

Meilin contempla son animal totem avec perplexité. Un panda géant? On ne pouvait pas faire apparaître un panda géant, car Jhi, l'une des Bêtes Suprêmes, appartenait à cette espèce. Sa statue trônait à l'autre bout du champ de parade. Et puis c'était ridicule! Un panda était tout l'opposé d'un tigre. Mignon, gentil... mais ni impressionnant ni menaçant. Que pourrait-il bien lui apprendre? L'art de grignoter des bambous?

La foule demeurait silencieuse. Meilin croisa le regard de son père. Il était visiblement sous le choc.

L'Amayaine s'approcha d'elle.

– Je m'appelle Lenori. Je suis là pour t'aider.

Elle lui prit la main et la leva bien haut.

– Meilin vient d'accomplir une prophétie oubliée! Jhi est revenue en Erdas! Tous ensemble, nous allons...

Elle ne put achever sa phrase, car les cloches de la ville se mirent à sonner à toute volée, donnant l'alerte. Meilin scruta le champ de parade. Était-ce lié à l'invasion ? Ça n'avait aucun sens. La ville de Shar Liwao était très loin, de l'autre côté du Grand Mur du Zhong. Les cornes de brume émirent trois longues plaintes graves, annonçant un péril imminent.

La foule commençait à s'agiter. Consciente des regards qui pesaient sur elle, Meilin demeura très calme, malgré la panique. Ce n'était pas un exercice d'entraînement, ou les cornes n'auraient pas retenti. Il y avait un grand danger. Elle distinguait comme une odeur de brûlé, mais ne pouvait voir ce qui se passait au-delà des hauts murs entourant le champ de parade.

C'est alors que des cris montèrent du fond de la place, loin derrière les fauteuils réservés aux spectateurs de haut rang. En proie à la panique la plus totale, certains jetèrent leurs manteaux pour invoquer leur animal totem.

Des épées et des haches surgies de nulle part blessèrent des badauds. Alors que les gens se ruaient vers la sortie, un bœuf chargea à travers la foule. Une volée de flèches s'abattit sur l'estrade.

L'une d'elles tomba près de Meilin, mais elle l'ignora. Il y avait déjà eu des émeutes dans des petites cités de province, mais jamais dans leur ville de Jano Rion, l'une des plus puissantes de tout le Zhong.

En un éclair, Sheyu, le chef des Capes-Vertes, libéra son animal totem. Le léopard poussa un cri sauvage tandis que son maître enfilait un gant muni de quatre lames acérées. De l'autre main, il saisit Meilin par le bras et l'entraîna en expliquant :

– Ils sont sûrement venus pour toi !

Elle s'empressa de le suivre vers l'arrière de l'estrade, jetant des coups d'œil anxieux en direction du champ de parade.

Les gardes tentaient de retenir les rebelles, croisant le fer. Lance contre épée, hache contre bouclier. Certaines armes atteignaient leur but. On entendait hurler.

En quelques instants, Meilin fut témoin de plus de morts qu'elle ne pouvait en compter. La dernière chose qu'elle vit avant de quitter l'estrade fut Kusha, sa femme de chambre préférée, tomber à genoux, une flèche dans le dos.

Heureusement, le père de Meilin était là. Il l'attendait avec le général Chin et Lenori.

– Dépêchons ! les pressa-t-il. Nous allons monter à la tour, d'où nous aurons une vue d'ensemble de la ville.

Sa voix assurée la tira de sa stupeur.

– D'accord, fit-elle en se retournant juste à temps pour voir son panda sauter lourdement de l'estrade.

Par chance, il n'avait pas l'air blessé.

Mais Kusha... allait-elle mourir ?

Meilin suivit son père qui courait derrière la scène. Un petit groupe de rebelles voulut leur bloquer le passage. Ils étaient accompagnés d'un grand chien, d'un panda roux et d'un bouquetin aux longues cornes arquées.

Les généraux Teng et Chin dégainèrent leur épée d'un même mouvement. Sheyu enfila un second gant griffu pour leur prêter main-forte.

Meilin aurait voulu prendre part au combat, mais elle n'avait pas d'arme, contrairement à leurs assaillants. Elle balaya les environs du regard, à la recherche d'un objet lui permettant d'attaquer, sans résultat.

Le général Chin et son père affrontèrent leurs adversaires avec le même calme que s'il s'agissait d'un entraînement. Ils travaillaient en duo, paraient les coups, frappaient et s'entraidaient avec une parfaite coordination.

Sheyu et son léopard esquivaient les attaques et se faufilaient habilement entre les rebelles tout en leur infligeant de cruelles blessures.

Lenori entraîna Meilin vers la porte. Jhi la suivait de près. Alors qu'une autre troupe de rebelles approchait, Sheyu et les deux généraux battirent en retraite. L'épaule en sang, le général Chin sortit son trousseau pour ouvrir la porte.

– Vite !

Ils s'engouffrèrent à l'intérieur tandis qu'il refermait à clé derrière eux.

Le père de Meilin prit la tête du groupe, courant dans le tunnel aménagé à l'intérieur de l'enceinte du champ de parade. Les murs épais étouffaient le tumulte de la bataille, faisaient résonner l'écho de leurs pas. En jetant un coup d'œil par-dessus son épaule, Meilin vit l'oiseau de Lenori qui boitillait et voletait derrière elle. Le panda fermait la marche, galopant sur ses grosses pattes pour ne pas être distancé.

Elle savait où les emmenait son père. La tour de guet du champ de parade offrait l'un des points de vue les plus élevés de Jano Rion, d'où l'on voyait la ville entière et au-delà. De là, le général prendrait la mesure de la situation en un clin d'œil.

Meilin brûlait de l'interroger, mais elle se retenait. S'ils avaient été seuls tous les deux, ç'aurait été différent. Mais elle se doutait que son père préférait éviter de révéler des informations devant des étrangers.

Les soldats postés au pied de la tour se raidirent et saluèrent son père. Il leur répondit par un bref signe de tête avant de monter à bord de l'élévateur.

— Qu'est-ce que c'est ? s'étonna Lenori.

— Une installation fort ingénieuse, expliqua Sheyu. Un système de contrepoids va hisser la plate-forme en haut de la tour.

Ils grimpèrent tous dessus. Le panda suivit Meilin sans hésiter. Tandis que l'engin s'élevait dans les airs, elle scruta ses yeux argentés. Malgré le chaos qui régnait autour d'eux, le panda conservait son air calme et serein. La jeune fille détourna le regard la première.

Arrivé en haut, son père poussa le petit groupe sur la terrasse. Les soldats, qui scrutaient les environs avec des longues-vues, interrompirent un instant leur observation.

– Ne vous dérangez pas pour nous, s'empressa-t-il de dire.

L'officier de service s'approcha, mais le général le congédia d'un geste, préférant juger de la situation par lui-même. Meilin se posta à ses côtés, les yeux écarquillés, stupéfaite par ce qu'elle découvrait.

Jano Rion était envahie ! Des hordes de rebelles s'engouffraient dans la ville, tel un torrent furieux. Nombre d'entre eux étaient accompagnés d'un animal totem ou en chevauchaient un. Armés d'épées, de lances, de masses et de haches, ils balayaient sur leur passage les petits groupes qui tentaient d'organiser la défense.

On se battait ici et là, au coin des rues. De hautes colonnes de fumée noire s'élevaient aux quatre coins de la ville. Même son école était en feu ! Une institution vieille de plusieurs siècles où ses ancêtres avaient fait leurs classes depuis des générations... et voilà qu'elle s'écroulait sous ses yeux ! Lorsque Meilin aperçut le visage stoïque de son père, son cœur se serra.

Il était bouleversé, mais s'efforçait de ne pas le montrer. Il tendit la main pour qu'on lui donne une longue-vue et scruta plusieurs zones hors de l'enceinte de la ville, puis à l'intérieur.

– Ces rebelles ont beaucoup d'animaux totems, murmura-t-il.

Le général Chin avait ses jumelles personnelles.

– C'est sans précédent. On n'a pas vu une armée de ce genre depuis...

– ... le Dévoreur, compléta le général Teng.

Meilin cligna des yeux. Le Dévoreur était une légende, un monstre de conte de fées. Quel était le rapport avec cette attaque ?

– D'où sortent-ils donc ? s'étonna Sheyu. Comment cette armée a-t-elle pu franchir le Grand Mur du Zhong sans être repérée par les gardes ?

Meilin se tourna vers son père. C'était exactement la question qu'elle se posait.

– Ils ne portent pas d'uniforme. Ils n'ont pas franchi la frontière par la force, ils ont dû s'infiltrer petit à petit, supposa-t-il. Peut-être depuis des années. Beaucoup d'entre eux ont l'air de Zhongais, mais pas tous. Jamais je n'aurais cru possible une attaque de cette envergure ! La plupart de nos soldats sont en route pour Shar Liwao : c'était une diversion, pour les éloigner d'ici.

– Que faire ? demanda le général Chin.

– Notre devoir, répondit le général Teng.

Puis, un ton plus haut, il ordonna :

– Laissez-nous.

Les autres soldats quittèrent aussitôt la terrasse. Sheyu prit Lenori par le bras pour partir, mais le général Teng les arrêta en grondant :

– Non, restez, les Capes-Vertes.

Il posa la main sur l'épaule de Meilin pour lui faire comprendre qu'il souhaitait également sa présence.

Sheyu et Lenori s'approchèrent.

Meilin dévisagea son père. Son expression déterminée la mettait mal à l'aise. Elle s'efforça de faire taire la peur qui la rongeait de l'intérieur.

– Jano Rion va tomber aux mains de l'ennemi, déclara-t-il sans détour. Nous n'avons pas une défense assez fournie pour résister. Lenori, vous affirmez que Meilin a fait apparaître Jhi, le symbole vivant du Zhong. Qu'est-ce que cela signifie ? Que suggérez-vous ?

– Je souhaiterais présenter votre fille à notre commandant, répondit-elle. Au cours des dernières semaines, d'autres enfants ont fait apparaître des Bêtes Suprêmes. Ils sont notre seule chance d'arrêter la guerre qui se propage dans tout le monde d'Erdas.

Meilin sentit son père resserrer son étreinte sur son épaule. Il acquiesça.

– Très bien. Lenori, emmenez ma fille. Elle ne peut demeurer ici en l'état actuel des choses. Sheyu, vous les escorterez.

Ce dernier cogna son poing sur son cœur et inclina la tête.

– C'est un honneur pour moi.

– Mais, père, je ne veux pas partir ! protesta Meilin. Laissez-moi rester avec vous pour défendre notre ville !

– Tu n'es pas en sécurité ici...

– Pas en sécurité en compagnie du plus grand général de tout l'Erdas ?

– De plus, poursuivit-il en levant la main pour la faire taire, le devoir t'appelle ailleurs.

Il s'accroupit pour la regarder dans les yeux.

– Meilin, tu vas rencontrer le commandant des Capes-Vertes. Écoute ce qu'il a à te dire. Si c'est sensé, si la voie qu'il te propose te semble juste, tu l'aideras. Sinon, tu chercheras une meilleure voie. Quoi qu'il en soit, n'oublie jamais qui tu es, ni d'où tu viens.

– Mais...

Le général Teng secoua la tête.

– C'est ma volonté.

Meilin savait que la conversation était close. Son destin était scellé. Les larmes lui montèrent aux yeux. Elle contempla au loin l'ennemi qui envahissait sa ville. Comment pouvait-elle fuir, laisser son père affronter seul cette menace, alors que son armée était éparpillée et déjà en déroute ?

Elle jeta un coup d'œil à Jhi. Le panda soutint son regard, l'air compréhensif, voire compatissant.

Ou bien la lueur d'empathie qui brillait dans ses yeux était-elle le fruit de son imagination ? Meilin baissa la tête. Elle n'avait que faire de sa pitié. Ce qu'il lui fallait, c'était de la force. Non seulement cet animal n'avait aucune chance d'améliorer ses aptitudes au combat, mais voilà qu'à cause de lui, les Capes-Vertes l'emmenaient loin de chez elle.

Loin de son père.

Une clameur monta de l'escalier. Un soldat blessé fit irruption en haut des marches en titubant.

– Ils arrivent ! Ils sont trop nombreux !

Le père de Meilin ordonna :

– Retenez-les aussi longtemps que possible !

Le soldat s'engouffra à nouveau dans la tour. Ils entendirent le fracas des armes. Des cris d'animaux. Le général Chin dégaina son épée et se posta en haut de l'escalier.

Le père de Meilin actionna un levier pour faire redescendre la plateforme, puis désigna une échelle à l'intérieur de la colonne de l'élévateur.

– Filez par ici, grâce aux tunnels vous pourrez échapper aux rebelles et quitter la ville.

Meilin ne put faire taire ses craintes.

– Mais, père, et vous... ?

Il la fit taire d'un geste sec et lui adressa un sourire tendu.

– Je ne laisserai pas ces misérables me prendre. File.

La décision était sans appel. Meilin ne voulait pas humilier son père en lui faisant une scène.

Elle le fixa en répondant :

– Comme vous voudrez, père.

Les autres avaient déjà commencé à descendre par l'échelle. Elle fut surprise de constater que Jhi se débrouillait sans son aide. Alors qu'elle posait le pied sur le premier barreau, le général Chin engagea le combat avec son premier adversaire. Juste avant de s'enfoncer complètement dans le conduit, elle vit les deux généraux reculer, l'épée au poing, face à des attaquants de plus en plus nombreux.

Elle ne dit rien. Si l'ennemi la repérait, les efforts de son père auraient été vains. Il arriverait peut-être à s'en tirer, il était rusé.

La vue brouillée par les larmes, Meilin rejoignit les autres dans le tunnel exigu. Sheyu la prit par la main et avança en tête du groupe.

Essix

Rollan rôdait autour du magasin de l'apothicaire, en prenant soin de ne pas se faire voir. Une bannière à l'effigie d'Essix, le faucon, protecteur de l'Amaya, flottait à l'entrée, comme pour presque tous les commerces de la ville. Cachés entre les beaux bâtiments aux façades de stuc, Smarty et Red ne le quittaient pas des yeux. Il leur fit signe de ne pas attirer l'attention sur lui. Saisissant le message, ils détournèrent la tête.

Orphelin depuis l'âge de cinq ans, Rollan avait déjà dû voler pour survivre, mais il évitait en général d'en arriver à cette extrémité. Il préférait récupérer ce dont les gens ne voulaient plus. Les riches se débarrassaient de toutes sortes de choses. Rollan se débrouillait pour finir leurs repas et s'approprier leurs vieux vêtements. C'était du recyclage, pas du vol.

Hélas, ce dont il avait besoin aujourd'hui, il ne pouvait pas se le procurer par ce moyen. Impossible de dénicher un fond de bouteille d'extrait de saule. C'était bien trop précieux. Mais Digger brûlait de fièvre, son état ne cessait d'empirer. Sans remède, il risquait de mourir.

Croisant les bras, Rollan fixa le sol. S'il n'aimait pas voler, ce n'était pas par respect de la loi. La plupart des bourgeois de la ville de Concorba avaient bâti leur fortune sur le dos des pauvres, prenant tout à des gens qui n'avaient presque rien, et la loi protégeait ce système injuste. Simplement, à ses yeux, voler était trop risqué. Ceux qui se faisaient prendre même pour un maigre larcin étaient sévèrement punis. Et il n'avait aucune envie de finir en prison. Les autres se moquaient de lui. Ils avaient voulu le rebaptiser Latrouille, mais ça l'énervait. En fait, il avait refusé tous les surnoms. Il était le seul gars du groupe à ne pas en avoir.

Comme il n'avait pas le temps de mendier assez d'argent pour acheter l'extrait de saule, Rollan s'était résigné à le voler ; après tout la vie d'un ami était en jeu. Mais, après avoir fait le tour du magasin, il doutait de réussir.

Aussi décida-t-il de faire d'abord appel à la générosité de l'apothicaire. L'homme n'avait pas la réputation d'être particulièrement sympathique, mais cela valait la peine de tenter le coup. Rollan se redressa de toute sa taille avant de pousser la porte.

Le propriétaire, Eloy Valdez, se tenait derrière le comptoir, en blouse blanche. D'épais favoris grisonnants encadraient son crâne dégarni. Il fixa un regard inquisiteur sur Rollan. Même vêtu de ses meilleurs habits, le garçon était trop jeune et dépenaillé pour faire un bon client.

Il se posta devant l'apothicaire avant de déclarer avec son plus beau sourire :

– Bonjour, monsieur Valdez.

Il savait que, sous la crasse, il était plutôt mignon, avec sa tignasse brune et sa peau mate. Mais il fallait énormément gratter, c'est vrai.

– Bonjour, mon garçon, répondit l'homme en le toisant d'un œil soupçonneux. Que puis-je faire pour toi ?

– C'est mon ami qui aurait besoin de vous. Il a une fièvre terrible depuis trois jours, c'est de pire en pire. Je suis orphelin et lui aussi. Il lui faudrait de l'extrait de saule. Je n'ai pas d'argent, mais je travaille dur. Je peux vous aider à ranger, faire le ménage, ce que vous voudrez.

M. Valdez arbora cet air de « désolé, j'aurais tellement voulu pouvoir t'aider, mais non » que Rollan connaissait bien.

– C'est un remède fort coûteux. Et dont nous manquons en ce moment, ce qui le rend d'autant plus précieux.

– Je vous donnerai beaucoup de mon temps, affirma Rollan.

M. Valdez claqua la langue.

– Les temps sont durs, tu sais. Mes deux assistants se chargent de tout. Je n'ai aucun travail à te proposer, désolé.

Rouge de honte, Rollan insista :

– Vous pourriez peut-être faire un petit effort... pour sauver un orphelin ?

– Tu me demandes la charité, affirma M. Valdez. Hélas, je suis absolument contre. Les médicaments coûtent très cher. Si ton ami était le seul miséreux de cette ville, je n'y verrais aucun inconvénient. Mais il y en a toujours plus ! Si je te fournissais un traitement gratuit, je devrais l'offrir aux autres aussi. Et je n'aurais plus qu'à fermer boutique.

– Je ne dirai à personne d'où il vient, promit Rollan. Je vous en prie, monsieur Valdez.

– Ce genre de secret s'ébruite rapidement, rétorqua l'apothicaire. Tu es sans doute sincère, mais comment savoir si tu ne veux pas cette potion pour la revendre au marché noir ? Je ne peux pas t'aider. Au revoir.

C'est ainsi qu'il congédia Rollan. Maintenant, s'il revenait dans le magasin, M. Valdez ne le quitterait pas des yeux. Il ne pouvait donc plus voler le flacon.

— Et si vous étiez à sa place ? Malade, étendu sur le trottoir, et que tout le monde passe sans vous jeter un regard ?

— Voilà pourquoi je ne vis pas dans la rue, voilà pourquoi j'ai travaillé dur pour en arriver là et je compte bien y rester.

— Ça pourrait très bien vous arriver ! répliqua Rollan, exaspéré. Si votre magasin brûlait, par exemple ?

M. Valdez plissa les yeux.

— Tu me menaces ?

Rollan leva les mains.

— Bien sûr que non ! Je voulais juste dire que le malheur peut frapper n'importe qui.

— Aldo ! cria l'apothicaire. Veuillez montrer la porte à ce garnement.

C'était peine perdue. Inutile de lui lécher les bottes, ça ne changerait rien.

— Vous êtes sans cœur. J'espère que vous attraperez une maladie incurable qu'aucun de vos remèdes ne pourra guérir.

Un homme de forte carrure, les manches roulées sur ses biceps poilus, surgit de l'arrière-boutique et fondit sur Rollan. Smarty en profita pour se faufiler derrière le comptoir.

Comment était-il entré? Par la porte de service? Qu'est-ce qui lui prenait? Si on lui avait donné ce surnom*, c'était pour plaisanter, pas pour vanter sa finesse. Ils allaient tous les deux se faire arrêter à cause de lui! Rollan détourna les yeux de son ami et les fixa sur Aldo.

– T'es sourd! rugit ce dernier. Dégage!

Rollan recula vers la porte à petits pas afin de gagner du temps. Aldo le saisit par le col et le déposa sur le seuil en menaçant:

– Et que je ne te revoie plus dans le coin.

– Aldo! s'écria M. Valdez.

En se retournant, Rollan vit Smarty filer dans le fond du magasin.

– Il a pris une fiole d'extrait de saule! Vite, Santos!

---

* NDT: En anglais, *smart* signifie «futé».

Aldo traîna Rollan derrière lui en grondant :

— Reviens ici ou c'est ton copain qui va prendre !

Smarty ne jeta même pas un regard en arrière. Le temps qu'Aldo arrive à la porte de service, il s'était volatilisé.

— Santos ! braillait M. Valdez en les rejoignant. Où est passé Santos ?

— Parti faire une course, lui rappela Aldo.

M. Valdez se tourna vers Rollan, furieux.

— Alors ta proposition de travail, c'était juste pour détourner mon attention pendant que ton complice s'introduisait en douce dans mon magasin ! Quelle honte, même pour un vaurien de ton espèce !

— Je n'étais pas au courant, se défendit Rollan.

— Gaspille pas ta salive, morveux, intervint Aldo. Tu l'as aidé à voler la marchandise, c'est le coup classique.

Rollan lui flanqua un coup dans le genou, mais le gaillard encaissa sans ciller. Il le tenait d'une poigne de fer.

— Bien, de toute façon, tu t'expliqueras avec la milice, décréta M. Valdez.

Le garçon savait qu'il était inutile de protester. Le seul point positif, c'était que, au moins, Digger aurait son médicament.

La milice de la ville possédait des cachots dans les sous-sols de son QG. Les murs étaient noirs de moisissure et de la paille sale jonchait le sol de pierre usé.

Rollan s'assit sur une couchette en osier délabrée. Seuls des barreaux de fer séparaient les cellules, permettant à leurs trois occupants de se voir. L'un des hommes était d'une maigreur maladive, le deuxième dormait, quant au dernier, il était du genre que Rollan avait appris à éviter. Il était sans doute emprisonné pour des faits graves.

Un gardien avait informé le garçon qu'il serait présenté devant le juge le lendemain. Vu son jeune âge, on risquait de le renvoyer à l'orphelinat. Il avait la chair de poule à cette simple pensée. Il n'y avait pas pire endroit dans la ville. Le directeur vivait bien parce qu'il donnait aux enfants le strict minimum à manger, les faisait travailler comme des esclaves, les habillait comme des mendiants et ne gaspillait pas un sou en achats inutiles, comme des médicaments. Rollan s'en était enfui pour toutes ces raisons. Il se demandait même s'il ne préférait pas rester en prison.

Une porte s'ouvrit, il entendit des pas dans l'escalier. Un nouveau prisonnier? Rollan se redressa pour mieux voir. Non, le gardien était seul. C'était un gars trapu et mal rasé. Il s'approcha de la cellule de Rollan, avec un dossier à la main.

– Tu as quel âge?

Était-ce une question piège? Valait-il mieux être plus jeune ou plus âgé? Comme il ne savait pas, Rollan préféra dire la vérité.

– Douze ans le mois prochain.

L'homme nota quelque chose dans ses papiers.

– Tu es orphelin?

– En fait, je suis un prince, mais je me suis perdu. Si vous me ramenez en Eura, mon père vous donnera une récompense.

– Quand t'es-tu enfui de l'orphelinat?

Rollan réfléchit et, ne trouvant aucune raison de mentir, il répondit honnêtement:

– Quand j'avais neuf ans.

— Tu as déjà bu le Nectar?

La question le surprit.

— Non!

— Tu sais ce qui risque de se passer si tu ne le prends pas?

— Un lien pourrait se créer naturellement avec un animal totem.

— Tout à fait. Nos lois obligent tous les Amayains à boire le Nectar dans les trois mois qui suivent leur onzième anniversaire, sous peine d'être arrêtés.

— Alors c'est une chance que je sois déjà derrière les barreaux. Vous voulez que je vous dise? Vous devriez plutôt pondre une loi empêchant les gamins de onze ans de mourir parce qu'ils n'ont pas de médicaments!

Le geôlier poussa un grognement réprobateur.

— Je ne plaisante pas, mon garçon.

— Parce que vous croyez que je plaisante, moi? Ça vous fait rien qu'un gamin meure tout seul dans un coin parce que l'extrait de saule coûte trop cher? Allez, notez que je n'ai pas bu le Nectar, un crime de plus à ajouter à mon dossier. Enfin, si vous voulez savoir, personne ne me l'a jamais proposé.

– La milice donne le Nectar aux enfants qui ne l'ont jamais bu.

– Vous méritez une médaille !

Le gardien leva un doigt menaçant.

– Si tu as la capacité de faire apparaître un animal totem, cela se produira tout seul quand tu auras douze ou treize ans. Mais tu sais ce qui risque d'arriver ? Sans Nectar, c'est dangereux. Ça peut te rendre fou, malade... ou même te tuer. Ou alors ça peut très bien se passer. C'est quitte ou double.

– Alors qu'avec le Nectar, il n'y a jamais de problème, compléta Rollan. Je sais. Mais quelles chances y a-t-il pour que je fasse apparaître un animal totem ? Un pour cent ? Moins ?

Le geôlier l'ignora.

– Je connais une Cape-Verte qui s'occupe des orphelins. Je vais la faire venir.

Il tourna les talons et repartit dans l'escalier. Rollan s'étira et fit quelques mouvements pour se détendre, levant haut les bras.

– Oh, oh ! Je ne m'attendais pas à voir un tel spectacle aujourd'hui ! s'exclama l'homme squelettique. Que vas-tu faire apparaître à ton avis ?

– Rien, répondit Rollan.

– Je pensais comme toi, et je me suis trompé. J'ai eu un hérisson.

– Vous êtes un Cape-Verte ? s'étonna Rollan.

L'autre haussa les épaules. Son regard était vide, il semblait épuisé.

– Tu vois une cape quelque part ? Mon animal s'est fait tuer. Et sa disparition m'a... j'aurais préféré perdre un bras ou une jambe.

Une heure plus tard, peut-être deux, le geôlier revint avec deux hommes de la milice en uniforme et une Cape-Verte. C'était une jeune fille, pas très grande, pas très jolie, mais qui avait l'air gentil.

Le gardien ouvrit la porte de la cellule en faisant signe à Rollan d'approcher. L'un des miliciens tenait à la main un rat en cage.

Le garçon désigna le rongeur du menton.

– C'est une blague ?

– Il paraît que, quand il y a des animaux dans les parages, ça facilite l'apparition des totems, expliqua le milicien avec un sourire moqueur. On l'a attrapé il y a deux ans. C'est notre mascotte.

– Très drôle, commenta sèchement Rollan. Si on prenait aussi quelques araignées ? Ou un cafard ?

– On ne peut pas se lier avec un insecte, intervint la Cape-Verte. Même si j'ai déjà entendu parler de gens qui avaient fait apparaître des arachnides.

– Un sou qu'il n'aura pas de totem, lança le prisonnier patibulaire.

Il tapota sa poche en insistant :

– Allez, deux sous !

Il les sortit.

– Des amateurs ?

Personne ne voulut parier avec lui.

– On commence ? demanda Rollan, brisant le silence gêné.

Pour certains enfants, la cérémonie du Nectar était une grande occasion. On organisait une fête, toute la famille se mettait sur son trente et un, on invitait des spectateurs, on faisait des discours, on servait des rafraîchissements. Lui, il était dans une prison sordide avec pour seuls compagnons un rat, deux gardiens et ses codétenus. Autant en finir le plus vite possible.

La Cape-Verte sortit un petit flacon, l'ouvrit et le lui tendit.

– Prends-en une seule gorgée.

– Quel discours ! commenta Rollan en s'en saisissant. Vous gâchez votre talent dans ce sous-sol sinistre. Vous êtes assez douée pour officier en plein jour !

Il en avala une goulée. Le cuisinier d'un restaurant lui donnait parfois des biscuits à la cannelle. Le Nectar avait le même goût, mais sous forme liquide.

Rollan s'essuya les lèvres en titubant. Il avait l'impression que des étincelles parcouraient son corps. Que se passait-il ? Il rendit la fiole d'un bras tremblant. La jeune fille la reprit juste avant qu'il ne tombe à genoux.

– Qu'est-ce qui m'arrive ? s'inquiéta-t-il.

Un grondement ébranla la prison, la pièce s'obscurcit. Ou bien était-ce ses yeux qui lui jouaient des tours ? Soudain, une lumière intense l'éblouit, avant de s'éteindre, laissant place à un faucon.

Un rapace immense et puissant au plumage marron doré, tacheté de blanc sur le jabot. Il déploya ses ailes pour venir se poser sur l'épaule de Rollan. Lorsque les serres l'agrippèrent, son vertige cessa. Les autres les fixaient, bouche bée.

Sa vue s'était aiguisée. Il distinguait la texture poreuse du sol et des murs de pierre. Il repéra une araignée cachée dans un coin du plafond. Il percevait même la surprise de ceux qui l'entouraient avec une intensité déstabilisante. Mais brusquement ces sensations s'estompèrent et tout redevint normal.

— C'est un faucon ! s'extasia la Cape-Verte. Un gerfaut... aux yeux d'ambre.

— Il s'agit d'une femelle, précisa Rollan.

— Comment le sais-tu ? s'étonna son geôlier.

— Je le sais, c'est tout.

— Il a sans doute raison, ce serait logique, murmura la jeune fille, abasourdie.

Puis, reprenant brusquement ses esprits, elle dévisagea Rollan d'un œil inquisiteur.

— Comment est-ce possible ? Qui es-tu ?

— Un simple orphelin, répliqua le garçon.

— Non, non... Il y a forcément autre chose..., chuchota-t-elle comme pour elle-même.

– Je suis également un criminel, ajouta Rollan. Un criminel de la pire espèce, d'ailleurs.

– Quelle espèce ?

– De ceux qui se font prendre, soupira le garçon.

La Cape-Verte se tourna vers le geôlier.

– Remettez-le dans sa cellule. Je repasse plus tard.

– Avec l'oiseau ?

– Évidemment, c'est son animal totem.

– Bon, faut croire que c'était mon jour de chance, marmonna le prisonnier à l'air louche. Personne n'a voulu parier avec moi. Je garde mes sous.

Le gardien revint bientôt voir Rollan, escorté d'un homme, cette fois. On aurait dit une sorte de seigneur étranger. Il portait de hautes bottes, des gants de cuir, une belle épée et une cape de laine bleue brodée, qui devait coûter plus cher qu'un attelage de chevaux. Il avait une sorte de petite barbe bien taillée au bout du menton et observait Rollan avec intérêt.

– As-tu envie de sortir d'ici, mon garçon ? lui demanda-t-il.

– Oh, sûr que le matelas plein de puces me manquerait. Et aussi les murs moisis. On sait ce qu'on perd, pas ce qu'on gagne.

L'homme ricana.

– Pourquoi votre cape n'est pas verte ? le questionna le garçon.

– Je m'appelle Zerif, répondit-il. Je travaille avec les Capes-Vertes, mais je n'en fais pas partie. Ils me confient les cas délicats, comme le tien.

– Comme le mien ?

Zerif jeta un regard au geôlier.

– Mieux vaudrait poursuivre cette conversation en privé. J'ai payé ta caution.

– Ça me va, affirma Rollan.

Le gardien ouvrit donc la cellule et le garçon en sortit avec son faucon sur l'épaule, puis il quitta la prison en compagnie de Zerif, sans jeter un regard aux autres détenus. Il se demandait bien ce que ce type lui voulait.

Une fois dans la rue, celui-ci le toisa en déclarant :

– C'est un magnifique rapace.

– Merci, grommela Rollan. Qu'est-ce qu'on fait, maintenant ?

— Maintenant, tu commences une nouvelle vie, décréta Zerif. Nous avons beaucoup à discuter.

— Ce n'est pas parce que vous avez payé la caution que je suis innocenté. Et M. Valdez ?

— Les charges contre toi seront abandonnées, je vais m'en assurer.

Rollan acquiesça.

— Et la fille qui m'a donné le Nectar ? Où est-elle passée ?

Zerif lui adressa un sourire.

— Cette affaire est hors de ses compétences. Ce n'est plus elle qui s'occupe de toi. Allez, viens.

Le faucon lui serra vivement l'épaule. Malgré son poids, Rollan avait presque oublié sa présence. Mais la réaction de son animal, juste au moment où l'homme prononçait ces mots, lui donna un mauvais pressentiment.

— Elle va bien ? s'inquiéta-t-il.

Il crut percevoir une lueur d'admiration dans le regard de Zerif.

— Oui, je suis sûr qu'elle va très bien.

Il mentait et paraissait impressionné que Rollan s'en doute. Le garçon était convaincu qu'il était arrivé malheur à la Cape-Verte par sa faute. Mais qui était donc cet homme?

Zerif marchait d'un pas pressé.

– Où va-t-on? s'enquit Rollan.

– Dans un endroit tranquille, pour parler. Puis on filera loin d'ici, si tu es d'accord. Tu n'as jamais eu envie de voir du pays? Cet oiseau va t'ouvrir les portes du monde.

Le faucon poussa un cri strident qui vrilla les tympans de Rollan. Surpris, Zerif les regarda tour à tour, son éternel sourire vacillant soudain un peu.

– Elle ne t'aime pas, constata Rollan.

– Non, elle se fait la voix, c'est tout, affirma-t-il. Je ne te veux aucun mal.

Rollan aurait parié deux sous qu'il mentait. L'homme s'efforçait de prendre un ton détaché, mais c'était du chiqué. En plus, il avait une épée immense.

Soudain le garçon pointa le doigt vers l'autre bout de la rue en s'écriant:

– Regardez cette femme... Qu'est-ce qu'elle fait?

Comme Zerif se retournait pour voir, Rollan détala. Il s'engouffra dans une ruelle et courut aussi vite qu'il put. Risquant un coup d'œil par-dessus son épaule, il constata que Zerif le poursuivait, sa cape bleue flottant derrière lui. Il avait remonté sa manche et, sur son avant-bras, un tatoo scintillait. Une sorte de chien se matérialisa alors à ses côtés. Un chacal, peut-être ?

Rollan avait espéré que ce grand seigneur ne se donnerait pas la peine de lui courir après. Il s'était trompé. Mais il avait un totem, peut-être faisait-il tout de même partie des Capes-Vertes ? Quoi qu'il en soit le garçon n'avait aucune confiance en lui et son faucon non plus. Il avait intérêt à le semer au plus vite.

Rollan avait l'habitude de fuir dans le labyrinthe de ruelles de la ville. Sans s'arrêter, il tendait les bras, renversant les poubelles en travers du chemin de ses poursuivants. Malgré ses efforts, ils gagnaient du terrain, il les entendait. La simple pensée des dents aiguisées du chacal et de la longue épée de Zerif le poussait à accélérer.

Le garçon tourna dans une autre ruelle. Il leva la tête, cherchant une issue par les toits, mais n'en vit pas.

L'homme et son chacal progressaient toujours.

Un peu plus loin sur la gauche, Rollan aperçut une barrière entre deux bâtiments. Il sauta, agrippa le haut de la clôture et se hissa par-dessus. En grognant, le chacal tenta de lui happer la jambe. Ses dents lacérèrent son pantalon et lui égratignèrent la peau.

– Descends ! ordonna Zerif en se ruant sur le garçon, l'épée au clair.

Rollan se laissa tomber de l'autre côté de la barrière, dans un carré de mauvaises herbes où se dressait une baraque délabrée. Il traversa le terrain en toute hâte, jetant un regard en arrière. Le chacal était à ses trousses, mais nulle trace de Zerif. Rollan scruta les environs à la recherche d'une arme de fortune. Le chacal se rapprochait, il ne pourrait pas escalader la clôture avant que l'animal ne le rattrape.

Il décida alors de ruser. Il se cramponna à la barrière, fit mine de vouloir l'enjamber. Et, arrivé au milieu, il se retourna brusquement pour flanquer un coup de pied dans la gueule de l'animal. Frappé de plein fouet, celui-ci retomba en couinant. Rollan en profita pour franchir la clôture.

La ruelle dans laquelle il atterrit était plus large. Tandis qu'il hésitait sur la direction à prendre, il vit Zerif fondre sur lui à une vitesse inimaginable. Le temps que Rollan traverse le terrain, il avait réussi à contourner le pâté de maisons. Le garçon avait déjà entendu parler des aptitudes hors du commun que les Tatoués développaient grâce à leur animal. Comment aurait-il pu échapper à Zerif dans ces conditions ? Au désespoir, Rollan tourna les talons et se mit à courir dans la direction opposée.

C'est alors que surgit devant lui un homme immense, drapé dans une cape vert sapin et monté sur un élan. C'était une apparition des plus étranges, mais Rollan n'avait guère le temps de s'appesantir sur le sujet.

L'élan fonçait droit sur lui, ses bois massifs faisaient presque la largeur de la ruelle. L'homme aux cheveux gris qui le chevauchait était carré d'épaules et son visage rond disparaissait sous une barbe hérissée. Il brandissait une masse d'armes et une cotte de mailles cliquetait sous sa cape.

– Ôte-toi de mon chemin, mon garçon ! lui cria-t-il.

Rollan s'écarta d'un bond et se plaqua contre le mur pour laisser passer l'élan. Il entendit un cri au-dessus de sa tête, puis un crissement métallique lui apprit que son faucon s'était posé sur un toit.

Zerif et son chacal se figèrent en voyant l'élan approcher. Avec un hurlement rageur, le Cape-Verte leva sa masse. Zerif enfonça d'un coup d'épaule la porte d'une quelconque arrière-boutique. Le Cape-Verte s'arrêta, comme s'il hésitait à le poursuivre, puis il revint au pas vers Rollan.

— Comment a-t-il dit s'appeler ? braila-t-il.

— Ce gars-là ? Zerif.

— Ça, au moins, c'est vrai. Tu le connais ?

— À peine. Il a payé ma caution pour me sortir de prison.

L'homme mit pied à terre.

— Que t'a-t-il raconté ?

— Pas grand-chose. Il voulait m'emmener avec lui. Loin.

— Je m'en doute. On le surnomme «Zerif le cha-cal» à cause de son animal totem, une bête rusée venue du Nilo. Il est à la solde de notre ennemi juré, le Dévoreur.

– Le Dévoreur ? s'exclama Rollan, manquant de s'étouffer de stupeur. Sérieusement ? Qui êtes-vous ?

– Je m'appelle Olvan.

Rollan lança un regard au gigantesque élan.

– Le célèbre Olvan ?

– Si tu veux dire par là le commandant en chef des Capes-Vertes, alors oui, c'est moi.

Le gerfaut lança un cri avant de venir se poser sur l'épaule de Rollan. Le garçon caressa délicatement ses plumes. Il réfléchit un long moment avant de reprendre la parole :

– Aujourd'hui, tout le monde s'intéresse à moi. Vous surgissez soudain de nulle part... C'est à cause de mon faucon ?

– Ce n'est pas *ton* faucon, fiston. C'est *le* faucon.

Olvan lui laissa le temps de digérer la nouvelle, puis ajouta :

– Tu as fait revenir Essix dans notre monde.

L'entraînement

Abéké était assise au coin d'un lit moelleux. Sa chambre contenait un bureau sculpté, un canapé somptueux, des fauteuils confortables et un miroir dans un cadre qui lui semblait en or – tout ça rien que pour elle. Tous les gens qu'elle croisait la traitaient avec le plus grand respect et un serviteur lui apportait de délicieux repas. Grâce à sa panthère, elle était devenue une reine.

La pièce tangua légèrement. Dire qu'elle disposait d'un tel luxe à bord d'un bateau ! Elle n'y aurait pas cru si elle ne l'avait vu de ses propres yeux.

Elle appréciait toutes ces attentions, néanmoins elle n'était pas à l'aise. C'était bien trop différent de chez elle. Rien ne se faisait comme à la maison. Pas un seul visage familier pour la rassurer.

Zerif ne l'avait pas accompagnée. Sur le quai, il lui avait expliqué que des affaires urgentes l'appelaient et l'avait confiée aux bons soins d'un étranger, un garçon du nom de Shane.

Quelques jours plus tôt, Zerif avait convaincu son père de la laisser partir, non seulement pour sa sécurité, mais pour le bien de tout le village. Pojalo avait accepté sans la moindre hésitation. Abéké en avait été blessée. Elle ne pouvait s'empêcher de se demander s'il se serait séparé aussi aisément de sa sœur Soama. Zerif avait donc emmené Abéké et Uraza, sa panthère, le soir même.

La jeune fille aurait aimé pouvoir parler à Chinwe avant de partir. La Cape-Verte pensait qu'elle serait la nouvelle faiseuse de pluie du village. Et ç'aurait été bien utile. Mais son père avait ignoré les besoins de la communauté. La sécheresse allait continuer par sa faute. Abéké avait l'impression de passer à côté de son destin. De rater l'occasion d'avoir enfin sa place parmi les villageois.

Le bateau avait beau être extrêmement confortable, son père et sa sœur lui manquaient. À la maison, ils vivaient tous les trois dans la même pièce. Ils avaient leurs petites habitudes, ils prenaient leurs repas ensemble et, tous les soirs, Abéké s'endormait bercée par les ronflements de son père. Ici, dans sa cabine, elle avait du mal à trouver le sommeil. Tout lui était tellement étranger.

Dans l'excitation de la découverte, elle n'avait pas eu tout de suite le mal du pays : le trajet en carriole, l'immense ville grouillante de monde, la mer, l'eau salée à perte de vue, et puis ce bateau assez vaste pour abriter tout un village. Ce n'est qu'une fois à bord, tandis qu'ils faisaient voile vers le large, que l'ennui l'avait gagnée. Elle avait alors eu le temps de réfléchir. De penser à la savane, à tous ceux qu'elle aimait et qui lui manquaient tant.

Heureusement qu'elle avait Uraza. Abéké la caressa et elle se mit à ronronner sous sa paume.

La panthère n'était pas particulièrement affectueuse, mais elle ne refusait jamais ses caresses.

On frappa. Ce devait être Shane. Lui aussi rendait le voyage plus agréable. Il l'avait aidée à améliorer sa relation avec Uraza.

– Entrez ! répondit Abéké.

Shane ouvrit la porte de la cabine. Il n'avait qu'un an de plus qu'elle. Malgré sa peau pâle, il était beau, bien bâti, avec une allure décontractée qu'elle admirait. Comme elle, il avait un animal totem, un carcajou.

– Prête à descendre dans la cale ? lança-t-il.

– Je commençais à croire que tu ne viendrais jamais. Je n'ai pas l'habitude de rester enfermée.

– C'est dur de laisser tout son monde derrière soi, affirma-t-il. J'ai dû quitter mes parents, moi aussi. C'est mon oncle qui m'a élevé, et il n'est pas là non plus.

– Ma mère est morte il y a quatre ans, lui confia Abéké. Elle était la seule à me comprendre vraiment. Mon père et ma sœur... c'est différent. Mais ils me manquent quand même. Je sais qu'ils tiennent à moi comme je tiens à eux.

– Ici aussi, on tient à toi, Abéké, lui assura Shane. Nous pensons que tu as de grandes capacités. Quand, comme toi et moi, on a un lourd fardeau à porter, on se trouve une famille où on peut. Tu as ton animal totem. Il te sera d'un grand réconfort, tu verras. Allez, viens.

Uraza les suivit hors de la cabine. Les regards des marins et soldats qu'ils croisèrent s'attardaient toujours sur la panthère. Uraza marchait avec la grâce inquiétante d'un prédateur, et nul n'osait l'approcher. Les plus courageux lui laissaient plusieurs mètres pour passer, tandis que d'autres s'arrangeaient carrément pour l'éviter. Abéké avait appris à les ignorer.

Shane avait aménagé la cale en salle d'entraînement. Il avait écarté caisses, paquets et tonneaux pour dégager un large espace vide. Personne ne venait les déranger ici.

– Tu as pris le temps de parler à Uraza ? demanda Shane. De lui montrer ton affection ?

– Oui, acquiesça Abéké.

– Les animaux totems sont tous doués d'une intelligence hors du commun, lui rappela-t-il.

Le tien encore plus que les autres, sans doute. Ce n'est pas parce que Uraza ne parle pas qu'elle ne te comprend pas.

Abéké se tourna face à son animal. La panthère plongea ses yeux violets dans les siens.

– Parviens-tu à percevoir son humeur ? la questionna Shane.

– Je ne sais pas..., murmura Abéké en la fixant intensément. Elle paraît... intéressée, peut-être ?

– Oui, sûrement, acquiesça Shane. À force de pratique, tu finiras par deviner de mieux en mieux ses émotions. C'est la première étape pour puiser en elle de l'énergie en cas de besoin.

– Et l'état passif ?

Abéké avait toujours été fascinée de voir Chinwe réduire son gnou à l'état de simple tatoo sur sa jambe.

– C'est plus l'affaire d'Uraza que la tienne. Tu dois gagner sa confiance. Elle se mettra volontairement à l'état passif, mais elle ne pourra en sortir que si tu la relâches.

– Ton carcajou est en sommeil ?

Une fois, parce qu'elle insistait, il lui avait timidement montré un petit coin du dessin sur son torse.

– La plupart du temps. Renneg m'aide beaucoup quand je dois me battre, mais il ne s'entend pas très bien avec les autres animaux. Quand Uraza sera d'accord, tu pourras décider de l'endroit où se fixera ton tatoo. La plupart des gens choisissent le bras ou le dos de la main, c'est le plus pratique.

Abéké n'avait vu le carcajou qu'une seule fois, lorsqu'ils avaient embarqué à bord du bateau. Il n'était pas grand, plutôt trapu, mais semblait assez agressif.

Shane brandit un bâton.

– On a fait assez de tir à l'arc hier. Tu te débrouilles bien, mais je n'ai pas eu l'impression qu'Uraza t'aidait à t'améliorer. J'ai pensé qu'aujourd'hui, on pourrait essayer quelque chose de plus énergique. On va imaginer que ce bout de bois est un couteau. Tu dois me poignarder.

Il lui tendit le bâton. Abéké s'agenouilla devant Uraza. La panthère était étendue sur le sol, tête haute, battant nonchalamment de la queue. La jeune fille admira son impeccable pelage tacheté, les cercles noirs qui cernaient ses yeux intenses, la puissance que dégageait son corps musclé. Comment un animal aussi fort et agile pouvait-il être son totem ? Uraza soutint son regard, tranquillement.

Abéké posa doucement la main sur une de ses pattes.

– On forme une équipe, toi et moi, désormais. Que ça nous plaise ou non, on est loin de chez nous, mais au moins on est ensemble. Je vois bien que tu ne te plais pas sur ce bateau. Moi non plus. Mais il nous emmène dans un endroit où on pourra à nouveau se promener dehors. Je t'apprécie énormément. Tu es calme, pas trop collante et on a les mêmes origines. Je veux apprendre à faire équipe avec toi.

Comme Uraza ronronnait, le cœur d'Abéké se gonfla de bonheur. Elle sentit qu'un lien se tissait entre elles.

La jeune fille se tourna vers Shane.

– Quand tu te sentiras prête, dit-il.

Abéké avança d'un pas hésitant, brandissant le bâton. Dans la savane, elle chassait parfois avec une lance et le plus souvent avec un arc, mais elle n'avait jamais eu l'occasion de se battre avec un couteau.

Ça ne semblait pas franchement la meilleure arme pour affronter un adversaire plus grand et plus expérimenté. Jamais elle n'aurait attaqué de front quelqu'un comme Shane. Sa seule chance aurait été de s'approcher sans se faire voir, par derrière. L'effet de surprise lui aurait donné un certain avantage.

Mais c'était un entraînement, elle devait suivre les instructions de Shane. Peut-être que l'instinct de prédateur d'Uraza allait la guider.

Une fois près de lui, Abéké risqua un petit coup, mais Shane l'esquiva et lui retourna le poignet. Elle recommença à trois reprises et obtint chaque fois le même résultat. Uraza ne lui était d'aucun secours.

— Je n'y arrive pas, soupira Abéké en se relâchant.

— Il faut juste que tu...

Elle se jeta sur lui, dans l'espoir de le surprendre.

Mais il lui saisit le poignet. Ils luttèrent un instant. Dans sa tête, Abéké appela Uraza à l'aide. Shane lui arracha le bâton et lui toucha le ventre avec.

— Bien essayé, dit-il, tu as failli m'avoir.

— Dans la vraie vie, je ne m'y prendrais jamais comme ça, expliqua-t-elle. Je m'approcherais discrètement.

Shane acquiesça.

— Ce serait plus malin. Et plus proche du comportement d'une panthère en chasse. Tu sais quoi ? Je vais me poster à l'autre bout de la cale, dos à toi. Je ne me retournerai que si j'entends un bruit, d'accord ?

Abéké hocha la tête. Cette nouvelle mise en scène lui convenait mieux.

Shane lui rendit le bâton avant de traverser la cale.

Accroupie, son faux couteau à la main, Abéké avança pas à pas.

— Tu te rapproches ? demanda Shane, dos à elle. Si oui, tu es drôlement douée. Sinon, dépêche-toi un peu, on n'a pas toute la journée.

Abéké se retint de sourire. Elle savait qu'elle était très douée pour traquer ses proies, mais elle était ravie de l'entendre de la bouche de Shane. Jetant un regard par-dessus son épaule, elle constata que sa panthère l'observait avec attention, en alerte.

Soudain, la porte la plus proche de Shane s'ouvrit en grand et un individu fondit sur lui. Vêtu de noir, le visage masqué, il brandissait une épée à lame courbe. Shane se baissa pour l'éviter.

– File, Abéké! cria-t-il. C'est un tueur. Va prévenir le capitaine.

L'homme dépassait largement Shane, qui essayait de lui prendre son arme.

D'instinct, Abéké se jeta au sol. Une énergie inconnue l'envahit. Le moindre de ses muscles était tendu, elle était prête à attaquer. Ses sens n'avaient jamais été aussi aiguisés.

Elle entendait le léger craquement de la coque alors que le bateau tanguait. Sa vue était affûtée. Elle distinguait l'odeur du tueur, un homme adulte, de celle de Shane. Elle n'avait aucune intention de suivre les ordres de ce dernier et de prendre la fuite.

Poussée par un élan de bravoure, elle bondit.

Elle parcourut les quelques mètres qui la séparaient de Shane d'un seul coup et s'abattit sur son adversaire, lui flanquant un coup de pied dans le bras. Il tomba à genoux, lâchant son épée qui heurta le plancher avec fracas.

L'homme se releva pour envoyer un coup de poing qu'Abéké esquiva sans même y penser. Il recula d'un ou deux pas, un bras levé, en position de combat, l'autre pendant mollement.

La jeune fille sauta pour lui assener un coup dans les côtes. Elle le frappa avec une telle force qu'il s'écroula contre la coque, le souffle coupé.

L'instinct d'Abéké lui commandait de l'achever, mais elle sentit une main ferme sur son épaule.

– Non, ça suffit. C'était pour de faux.

Elle sortit de sa transe pour dévisager Shane.

– Pour de faux ?

Uraza laissa échapper un grondement rageur, tel que la jeune fille n'en avait jamais entendu de sa part.

– Je voulais voir comment tu te battrais en cas de danger, expliqua Shane. Et ça a fonctionné, Abéké. C'était incroyable ! Il y a des Tatoués qui passent leur vie à s'entraîner sans parvenir à ce résultat.

Pleine d'un surplus d'énergie, la jeune fille peinait à retrouver son calme. Elle avait entendu le compliment, mais elle avait du mal à l'apprécier tant elle était abasourdie.

– Tu as obtenu cette réaction par la tromperie. Tu t'es moqué de nous !

Le sourire de Shane s'évanouit.

– Dé-désolé, marmonna-t-il, tout gêné. Je voulais juste t'aider, je t'assure. C'était un exercice. Je ne pensais pas que tu le prendrais comme ça.

– Ne refais plus jamais ça, le coupa-t-elle sèchement, ou la prochaine fois nous laisserons l'ennemi te faire la peau.

– D'accord.

Shane passa la main dans ses cheveux.

– Tu as raison. J'ai été malhonnête envers toi et Uraza. Ça ne se reproduira plus.

Abéké se détendit un peu. Elle désigna l'homme du menton.

– Ça va aller ?

Shane s'agenouilla auprès de lui pour lui prendre le pouls.

– Il est inconscient, mais il va s'en tirer.

Il secoua la tête.

– Franchement, je ne te croyais pas capable de mettre un homme entraîné hors d'état de nuire avec une telle facilité. Je m'en occupe. Tu peux regagner ta cabine.

Lorsque Abéké se retourna, elle se retrouva face à Uraza qui s'était approchée sans bruit. La jeune fille était maintenant sûre qu'elles pouvaient se comprendre sans parler. Elle tendit le bras. Il y eut un éclair, une sensation de brûlure, et Uraza bondit pour devenir un simple tatoo au-dessus de son coude.

La tour du Couchant

Rollan levait la tête vers le ciel, la main en visière, afin de suivre son faucon des yeux. Essix décrivit deux larges cercles et s'éleva dans les airs, dépassant la haute flèche de la forteresse des Capes-Vertes.

L'herbe arrivait aux genoux du garçon. À l'intérieur de la tour du Couchant, il y avait plusieurs salles d'entraînement et des cours spacieuses, mais

Rollan préférait rester hors de l'enceinte. Les occupants de la forteresse ne cessaient de l'observer, d'un regard incrédule ou au contraire plein d'espoir, ce qui le dérangeait tout autant.

De plus, la campagne alentour était vraiment jolie. Rollan était rarement sorti de sa ville natale de Concorba. Là-bas, on pouvait se promener dans les parcs, les terrains vagues ou sur les rives boueuses de la rivière Sipimiss, mais il s'agissait avant tout d'une cité portuaire et marchande. Il y avait bien quelques champs à la périphérie de la ville, mais ça n'avait rien à voir avec ici : pas de collines, pas de forêts, pas de prés aussi verts.

Ensemble massif de bâtiments de pierre ceints de hautes murailles, la tour du Couchant n'était pas le bastion le plus important des Capes-Vertes en Amaya. C'était plutôt un poste frontière, au nord du continent. Plus à l'est s'étendaient des terres sauvages où régnaient les animaux et les tribus amayaines.

Rollan siffla.

– Essix, reviens.

Le faucon amorça un nouveau virage nonchalant.

– Tout de suite ! Ce n'est tout de même pas compliqué. Même le plus idiot des gamins peut le faire !

Ça, ce n'était pas malin. Essix s'éloigna au contraire davantage, exprès pour le contrarier. Rollan inspira lentement, s'efforçant de retrouver son calme. Il savait pourtant que ce n'était pas en s'énervant qu'il parviendrait à faire obéir l'oiseau.

– S'il te plaît, Essix ! supplia-t-il. Olvan veut qu'on fasse équipe.

Le faucon replia légèrement les ailes pour fondre sur lui en piqué.

Rollan tendit la main, protégée par l'épais gant de cuir que lui avait offert Olvan. Au dernier moment, Essix déploya les ailes afin de ralentir et se posa sur son avant-bras.

– Gentille fille, la félicita Rollan en effleurant ses plumes du bout du doigt. On essaie l'état passif ? Tu te transformes en tatoo sur mon bras ?

Essix répondit à sa façon. Et le garçon n'avait pas besoin de comprendre la langue des oiseaux pour savoir que ce cri perçant était un non catégorique. Il serra les dents sans cesser de la caresser.

– Allez, Essix. Tu ne voudrais pas qu'on passe pour des nuls quand les autres vont arriver ! J'aimerais leur montrer de quoi on est capables.

L'oiseau pencha légèrement la tête sur le côté pour le fixer de ses yeux d'ambre. Il ébouriffa son jabot, sans émettre d'autre son.

– Tu sais, je ne dis pas ça seulement pour moi, reprit le garçon. Toi aussi, ils vont te prendre pour une fainéante.

Dans son dos, un cor retentit. Un autre lui répondit. C'était ainsi que les Capes-Vertes de la tour du Couchant annonçaient leurs allées et venues.

– Les voilà ! s'exclama Rollan.

Essix vint se poser sur son épaule.

La veille, Olvan l'avait informé que deux autres enfants allaient les rejoindre avec leurs animaux totems, également des Bêtes Suprêmes. Il lui avait promis que, quand ils seraient là, on leur exposerait plus précisément ce qu'on attendait d'eux.

Rollan se demandait s'ils avaient déjà prononcé leurs vœux pour devenir des Capes-Vertes. Selon Olvan, cela impliquait de consacrer sa vie à défendre le monde d'Erdas et la communauté des

Capes-Vertes. En échange, ils l'aideraient à développer le lien qui l'unissait à Essix, lui assigneraient une mission et s'assureraient qu'il ne connaîtrait ni la faim, ni l'errance, ni la solitude.

Rollan n'était pas sûr de vouloir s'engager. Maintenant qu'Essix lui avait permis de quitter sa vie de misère, il n'avait pas vraiment envie de s'imposer de telles contraintes. Il n'avait jamais bien supporté de devoir obéir aux ordres. Car, dès qu'ils disposaient d'un minimum d'autorité, les gens avaient tendance à en abuser.

Cependant, avec Essix sur son épaule, il était une cible pour des personnes mal intentionnées comme Zerif. Rejoindre les rangs des Capes-Vertes était peut-être la meilleure solution... Au lieu de refuser tout net, Rollan avait donc répondu qu'il allait réfléchir.

Alors qu'il traversait les hautes herbes pour rejoindre le portail de la forteresse, il aperçut un Cape-Verte à la mine sévère qui chevauchait dans sa direction. Deux enfants marchaient à ses côtés. La fille était accompagnée d'un panda et le garçon d'un loup énorme. Rollan pressa le pas, comprenant qu'il s'agissait des deux autres Bêtes Suprêmes, Jhi et Briggan.

Lorsque le Cape-Verte mit pied à terre, Rollan le toisa. C'était le genre d'étranger qu'il aurait évité s'il l'avait croisé dans les rues de Concorba.

Le garçon était blond et portait une cape verte, signe qu'il avait déjà prononcé ses vœux. Il n'était pas particulièrement petit pour son âge, mais il paraissait jeune. Son visage souriant, ouvert, suggérait qu'il n'avait pas encore une grande expérience de la vie. La fille l'impressionna davantage. Devant ses yeux pétillants, son sourire timide, Rollan se figea net. Il vit aussitôt qu'elle était ravie de susciter une telle réaction et comprit que cette timidité n'était qu'une façade. À en juger par ses traits et sa tenue, elle venait du Zhong, ce qui était logique étant donné son animal totem. Rollan n'avait jamais vu de panda en chair et en os. Ni de loup, d'ailleurs. Il les connaissait par les livres de contes sur les Bêtes Suprêmes que dame Renata, une veuve qui leur rendait visite à l'orphelinat, leur avait lus.

– Je m'appelle Tarik, annonça le Cape-Verte. Je suppose que tu es Rollan?

– Pourtant, j'essaie de passer inaperçu, plaisanta-t-il. Comment avez-vous deviné? C'est le faucon qui m'a trahi, pas vrai?

– Meilin, Conor, je vous présente Rollan. Il est né et a grandi ici, en Amaya. Il a fait revenir Essix.

Comme le loup s'avançait, le faucon voleta pour se poser à terre devant lui. Le panda s'approcha également et Essix poussa un petit cri.

Les trois animaux s'examinèrent l'un l'autre avec attention.

– Ils se reconnaissent? demanda Meilin dans la langue commune.

Elle avait une belle voix qui correspondait bien à son allure.

– Peut-être, répondit Tarik. Difficile d'estimer à quel point ils se rappellent leur ancienne vie. Il s'agit sans doute plus d'instinct, à ce niveau.

– Et où est Uraza? s'enquit Rollan. C'est bien la quatrième Bête Suprême qui avait disparu, non?

Tarik fit la grimace.

– Quelqu'un a abordé Uraza et sa nouvelle compagne avant nous, de la même façon que Zerif a procédé avec toi. La jeune fille s'appelle

Abéké. Nous ignorons où elle et sa panthère sont actuellement, mais nous faisons tout pour les retrouver. Lenori est convaincue qu'elles sont encore en vie.

– C'est Lenori qui vous a permis de nous localiser ? demanda Conor.

Tarik acquiesça.

– De tous les Capes-Vertes, c'est elle qui a le plus de visions. Grâce à son don unique de voyance, nous avons su que les quatre Bêtes Perdues étaient de retour.

– Mais elle n'est visiblement pas la seule à posséder ce pouvoir, remarqua Rollan, puisque quelqu'un est arrivé avant vous auprès d'Uraza.

– Bon, maintenant que nous sommes là, il semblerait normal qu'on nous explique ce qui se passe, décréta Meilin.

– Pour cela, c'est Olvan qu'il faut interroger, répondit Tarik. Vous savez déjà que nous aimerions vous voir rejoindre l'ordre des Capes-Vertes pour nous aider à protéger le monde d'Erdas.

– Du Dévoreur ? compléta Rollan sans chercher à cacher qu'il était sceptique.

– Nous ne savons pas encore précisément qui nous devrons affronter. Si ce n'est pas le Dévoreur, il lui ressemble énormément, confirma Tarik. Olvan ne devrait pas tarder à vous dire pourquoi nous avons besoin de vous. En attendant, profitez-en pour faire connaissance. Vous allez passer beaucoup de temps ensemble ces prochains jours. Je pars en avant sur mon cheval pour annoncer votre arrivée.

Tandis qu'il s'éloignait, Rollan avertit les autres :

– Vous allez voir, ils vont vous regarder comme des bêtes curieuses. Au début, j'ai cru que j'avais une trace de sauce sur la joue ou un truc comme ça.

– Les gens ont toujours tendance à dévisager les étrangers, affirma Meilin. Surtout quand il s'agit de personnalités importantes.

– J'imagine que nos animaux totems nous donnent une certaine importance, ajouta Conor, qui ne semblait pas vraiment y croire lui même.

La conversation tourna court. Rollan observa les deux autres et leurs totems. Briggan était le plus impressionnant. Le panda se contentait de gratter l'herbe de la patte. Conor était intimidé.

Quant à Meilin, elle ne paraissait pas franchement intéressée par tout ça.

– D'après ta tenue, je devine que tu es riche, lui lança Rollan.

– La richesse est une notion toute relative, répliqua-t-elle en le toisant d'un regard glacial. L'empereur possède une fortune bien plus grande que celle de mon père.

Rollan s'esclaffa :

– Si tu le compares à l'empereur du Zhong, c'est qu'il ne doit pas être pauvre, quand même !

– Mon père est général, et je descends d'une lignée de marchands prospères.

– Riches, c'est bien ce que je disais. Et toi, Conor ? Tu as aussi une lignée... ou simplement une famille ?

Le garçon rougit légèrement en jetant un bref coup d'œil à Meilin.

– Oui, j'ai une famille. Et on doit bien avoir une lignée, j'imagine, mais on n'emploie pas ce mot. Nous sommes bergers. J'ai été placé comme serviteur auprès d'un comte, alors que je préfère vivre au grand air.

– Et moi, je suis orphelin, annonça brusquement Rollan. Je suis là uniquement parce que Essix m'a permis de sortir de prison.

– Tu es allé en prison ! s'étonna Conor. Qu'est-ce que tu avais fait ?

Rollan s'assura qu'il avait capté leur attention avant de se pencher pour avouer :

– En fait, j'étais innocent, mais je ne pouvais pas le prouver. On m'a accusé d'avoir volé un remède chez un apothicaire.

– Tu étais malade ? s'inquiéta Conor.

– Un copain à moi avait la fièvre. Mais je n'ai pas piqué cette potion. Comme j'étais dans le coin quand ça s'est produit, ils m'ont tout mis sur le dos.

– Je me demande ce qui est un mensonge, intervint Meilin, que tu aies fait de la prison ou que tu y sois allé pour avoir volé un médicament...

Rollan haussa les épaules.

– Bien vu ! En réalité, je suis le fils d'Olvan et il m'envoie pour vous espionner.

La fille n'insista pas, mais Rollan sentait bien qu'elle n'avait aucune confiance en lui. Peut-être n'était-elle pas si bête...

Conor se tourna vers la tour du Couchant.

– À votre avis, qu'est-ce qu'ils attendent de nous ?

– Tu aurais peut-être dû poser la question avant de revêtir la cape verte, répliqua Rollan.

– Ils ont besoin de nous pour combattre, supposa Meilin. Pour mener la bataille, sans doute.

– Ou alors on sera juste des mascottes, suggéra Rollan. J'aimerais bien apparaître sur le drapeau de l'Amaya.

Conor se mit à rire, le rouge aux joues.

– Tu imagines ? Comme si je n'étais déjà pas assez mal à l'aise d'être au centre de l'attention !

– Le moment est mal choisi pour faire de l'humour, remarqua Meilin, les yeux étincelants. Des rebelles ont attaqué le Zhong. Les Capes-Vertes m'ont aidée à m'enfuir tandis que mon père défendait la ville. J'ignore s'il a survécu. Les projets qu'ils ont pour nous ont intérêt à être à la hauteur !

Rollan la dévisagea avec méfiance.

– Je ne sais pas si je pourrai être très utile. Vous avez des conseils pour faire obéir les animaux ? Essix refuse de faire ce que je lui demande.

– J'essaie avec Briggan, dit Conor en s'accroupissant pour caresser son loup. Il est assez têtu. Mais plus on apprend à se connaître, mieux ça se passe. D'après Tarik, nos animaux devraient finir par nous transmettre des pouvoirs.

Rollan considéra Meilin et son panda.

– Quel pouvoir va-t-il pouvoir t'apporter ? Celui des super câlins ?

La jeune fille le foudroya du regard, les lèvres tremblantes, mais elle se contint. Elle leva le bras et, en un éclair, Jhi se transforma en tatoo. Après quoi, elle tourna les talons et s'en fut.

– Waouh ! s'extasia Rollan. Où as-tu appris à faire ça ?

– Trop tard, soupira Conor. Je ne la connais pas depuis longtemps, mais elle a un sacré caractère.

– Tu sais le faire aussi, le truc du tatoo ?

– Pas encore.

Rollan caressa Essix.

– Au moins, on n'est pas les seuls à la traîne.

Lorsque Rollan se faufila hors de sa chambre, la forteresse était plongée dans l'obscurité et le silence les plus complets. Il se figea et tendit l'oreille. Son petit discours était prêt au cas où il tomberait sur un veilleur de nuit : il n'arrivait pas à dormir parce qu'il avait faim, il voulait grignoter quelque chose.

Mais il n'y avait personne.

Jetant un coup d'œil par-dessus son épaule, il vit Essix perchée sur le bord de la fenêtre, la tête sous l'aile, endormie.

Il ferma doucement la porte. Si elle voulait le rejoindre, elle pourrait toujours passer par la fenêtre entrouverte. Elle n'aurait sûrement pas approuvé sa décision, aussi avait-il préféré ne pas lui en parler. Mais elle le suivrait. Ils étaient liés désormais.

De petites lampes à huile diffusaient une faible lueur dans le couloir. Rollan avança, tous les sens en alerte.

À cette heure tardive, il ne risquait pas de croiser grand monde, mais, si ça se produisait, il aurait l'air vraiment suspect. Surtout qu'il s'éloignait de plus en plus des cuisines. Son excuse était bien peu crédible étant donné qu'il était tout habillé, qu'il se dirigeait vers la porte... et que sa besace était pleine à craquer de provisions. Les réponses qu'il avait préparées sonnaient faux : il étouffait, il avait besoin de prendre l'air. Il ne fallait pas être un génie pour deviner la vérité.

Il prenait la fuite.

À cette pensée, il eut un pincement de culpabilité, qu'il s'empressa de balayer. Il n'avait pas demandé à venir ici. Olvan avait promis de le protéger de Zerif, mais qui le protégerait d'Olvan ? En théorie, Rollan était l'invité des Capes-Vertes, sauf qu'il avait de plus en plus l'impression d'être leur prisonnier. Évidemment, de l'extérieur, ce n'était que sourires et gentillesses, mais il se sentait enchaîné par les espoirs qu'ils avaient placés en lui. S'il refusait d'obéir à leurs ordres, que deviendrait leur politesse de façade ?

Quand ils étaient rentrés, ce soir, les Capes-Vertes avaient installé Meilin et Conor dans leurs chambres sans plus d'explications. Rollan avait eu beau poser des questions, une fois de plus, elles avaient été ignorées. Il avait donc décidé qu'il avait attendu assez longtemps.

Visiblement, les Capes-Vertes espéraient l'enrôler à vie dans leur communauté afin de profiter du pouvoir de son faucon. Chaque jour passé dans la forteresse leur laissait supposer qu'il désirait les rejoindre. S'il voulait partir, c'était maintenant.

En plus du grand portail, Rollan avait repéré trois portes plus petites dans le mur d'enceinte. Elles étaient toutes lourdement barricadées et invisibles du dehors. D'après ce qu'il avait pu en juger, elles ne s'ouvraient que de l'intérieur. Durant la semaine, il les avait essayées et il savait par laquelle il allait sortir ce soir.

Entendant l'écho d'une conversation au loin, il se figea. Il ne distinguait pas ce qui se disait, mais le ton n'indiquait pas d'urgence. Ce n'était sans doute que des gardes en faction qui discutaient pour passer le temps. Pas de problème. Il y avait tellement de portes donnant sur la cour qu'elles ne pouvaient pas être toutes surveillées. L'Amaya n'était pas en guerre, les gens dormaient la nuit.

À pas de loup, il continua d'avancer dans le couloir, à la recherche d'une porte non surveillée. Soudain, une voix aiguë lui parvint :

— Allez, viens, Briggan ! Tu n'as pas faim, tu n'as pas besoin de sortir. Ça peut attendre demain.

Conor ! Que faisait-il debout à cette heure ? Rollan s'engouffra dans un couloir adjacent sans savoir où il menait.

Puis il s'arrêta, aux aguets. Le loup progressait sans bruit, en revanche le garçon ne faisait aucun effort pour être discret. Pressant le pas, Rollan se faufila dans un labyrinthe de petits corridors... et finit par tomber sur une porte close ! Il entendait toujours Conor et son loup se rapprocher.

Impossible ! Que venaient-ils fabriquer dans un couloir sans issue ?

À moins que le loup ne suive sa trace...

Rollan croisa les bras et s'adossa au mur, dans l'espoir de leur faire croire qu'il se promenait simplement dans le château. Au beau milieu de la nuit, ce n'était guère crédible, mais Conor ne paraissait pas très vif d'esprit.

Justement, il arrivait, accompagné de Briggan. L'animal toisa Rollan. L'air ensommeillé, tout ébouriffé, Conor plissa les yeux.

– Rollan ? Qu'est-ce que tu fais là ?

– Je ne peux pas dormir, alors je me dégourdis les jambes. Et toi ?

Conor s'étira en bâillant.

– Moi, j'étais couché, mais Briggan n'arrêtait pas de gratter à ma porte. Il voulait que je vienne avec lui.

Rollan observa le loup. Il était assis, gueule entrouverte, langue pendante.

– Mais pourquoi tu viens te balader par là? s'étonna Conor. Il y a quelque chose de spécial?

– Bon..., soupira Rollan comme s'il avouait la vérité à contrecœur, Essix est sortie, mais elle n'est pas rentrée. Je voulais m'assurer qu'elle allait bien.

– Alors tu es venu là, dans un couloir sans issue? fit Conor, non sans une pointe d'ironie.

– Je me suis perdu.

– C'est pour ça que tu es là, à attendre...

Rollan se creusa les méninges. Conor n'avait pas l'air si idiot que ça, finalement.

– Je t'ai entendu arriver, je ne voulais pas que tu saches que je m'étais perdu. Je suis vraiment inquiet pour Essix.

Conor fronça les sourcils.

– Si tu te fais du souci, il faut avertir Olvan. Il pourrait envoyer des gens la chercher.

Rollan hésita. Son excuse n'était pas fameuse, mais c'était toujours mieux que de faire semblant de croire que les cuisines étaient dans cette aile du château.

– Tu as raison. Briggan et toi, allez prévenir Olvan. Je commence les recherches de mon côté.

Les yeux de Conor tombèrent alors sur sa besace.

– Qu'est-ce que tu as là-dedans ?

– De la nourriture... pour attirer mon faucon.

– Dis donc, il est gros, ton sac. Qu'est-ce qu'il mange, cet oiseau ?

Rollan soupira et rendit les armes.

– Écoute, oublie tout ça. Essix va très bien. Je... je voulais juste voir du pays.

– Tu t'enfuis ? s'exclama le garçon, incrédule.

Briggan pencha la tête sur le côté.

– Je m'évade, corrigea Rollan.

– Mais tu n'es pas prisonnier.

– Je n'en suis pas si sûr. Tu crois sincèrement qu'ils me laisseraient partir avec Essix ?

Conor réfléchit un instant avant de déclarer :

– Oui, si c'est ce que tu veux vraiment.

– Qu'est-ce que tu en sais? Il a suffi qu'ils agitent une cape verte sous ton nez pour que tu signes à vie.

Conor se balançait d'un pied sur l'autre.

– J'ai accepté quand j'ai appris que j'avais fait apparaître Briggan, se défendit-il. Je ne tenais pas franchement à avoir une des Bêtes Suprêmes comme animal totem, mais j'ai dû faire avec. Et maintenant les Capes-Vertes ont besoin de moi pour protéger notre monde.

– De quoi? s'esclaffa Rollan. Ils ne nous l'ont toujours pas dit! Pas clairement, en tout cas. Nous savons que le Zhong est en guerre. On entend des rumeurs au sujet du Dévoreur. De parfaits inconnus me fixent, pleins d'espoir, alors que je n'ai aucune idée de ce qu'ils attendent de moi. Si mon faucon est bien la fameuse Essix des légendes, qu'est-ce que nous sommes censés faire dans cette guerre? Dans les histoires, Essix est gigantesque et elle parle. Moi, mon oiseau ne peut pas me supporter!

– On se demande bien pourquoi, riposta Conor.

Briggan secoua légèrement la tête. On aurait presque dit qu'il riait.

Rollan se hérissa.

– Fais attention à ce que tu dis, petit berger ! Tu aimes peut-être être dominé, mais ce n'est pas mon cas.

– D'accord, mais moi, je ne me défile pas parce que j'ai la trouille, répliqua Conor, furieux. Tu crois que ce n'est pas dur pour moi ? Tu crois que je ne me pose aucune question ? Que ça me fait plaisir d'être coincé dans ce château si loin de chez moi ? Vas-y, tu peux me traiter de berger ! Pour garder les troupeaux, il faut plus de courage que pour prendre la fuite au milieu de la nuit.

Rollan en resta sans voix. Conor avait choisi d'épauler les Capes-Vertes malgré ses doutes parce qu'il pensait que c'était le bon choix, il ne pouvait pas le lui reprocher. Mais de là à reconnaître qu'il avait eu raison...

– J'ai besoin de prendre un peu l'air, reprit-il plus doucement, choisissant d'être franc également. Je ne peux pas réfléchir au milieu de tout ce monde. Quoi que je fasse, quand je mange, quand je croise quelqu'un, ça me met la pression... Tout me pousse à rejoindre le mouvement. Je ne peux pas prendre

ma décision tranquille. Les Capes-Vertes sont sûrement des gens très bien. Mais j'ai l'impression que
la seule chose qui les intéresse chez moi, c'est mon
faucon. Comme s'ils se servaient de moi. Ça me
rend méfiant.

– Je te comprends, répondit Conor. Personne
ne se souciait de moi non plus avant l'arrivée de
Briggan. Du jour au lendemain, je suis devenu le
centre de l'attention.

– Et tu ne t'interroges pas sur leurs vraies
motivations ?

Conor opina, sous le regard intense de son loup.

– Un peu... Mais je suis convaincu qu'ils veulent
défendre l'Erdas. Ils ont besoin de Briggan, et donc
de moi par la même occasion. En plus, mon loup
a confiance en eux, visiblement.

Briggan battit de la queue. Rollan soupira :

– Bon, de toute façon, pour ce soir, c'est raté, je
ne pourrai pas m'enfuir. Tu vas me dénoncer ?

– Pourquoi ? Tu n'as rien fait de mal, répondit
Conor en soutenant son regard.

Rollan baissa la tête et se frotta les tempes des
poings.

– Bah... je peux attendre d'en savoir un peu plus.

– Ça t'aidera à prendre ta décision, souligna Conor.

– Mais je ne veux pas qu'ils m'obligent à quoi que ce soit. Tant pis si je dois résister. Tant pis s'ils m'enferment. D'ailleurs, s'ils m'enferment, ça me prouvera que j'avais raison.

Conor émit un bâillement sonore.

– Je suis content que tu restes. Je n'ai pas trop envie de me retrouver seul avec Meilin.

Rollan eut un sourire narquois.

– Elle te fait peur ?

Conor haussa les épaules.

– J'ai deux frères. Les filles, je n'y connais rien.

– Il paraît que ce sont des fleurs fragiles...

– Si tu le dis...

Conor tourna les talons et tapota sa cuisse.

– Viens, Briggan. On retourne se coucher. Bonne nuit, Rollan.

– Bonne nuit.

Il attendit que Conor fût hors de vue, puis fit le point. Il avait encore le temps de s'enfuir, mais il n'était plus aussi motivé.

Il regagna donc sa chambre. C'était raté pour cette fois, mais ce n'était pas grave, il pourrait s'échapper un autre jour.

Travail d'équipe

lors que Meilin se rendait à l'entraînement, tous ceux qu'elle croisa la
dévisagèrent. Certains discrètement,
d'autres effrontément. Les conversations s'inter-
rompaient à son arrivée et elle entendait murmurer
dans son dos dès qu'elle s'éloignait. Les rares
personnes qui ne la fixaient pas lui adressaient un
signe de tête méfiant, les yeux baissés, presque

encore plus révélateur. Rollan avait raison : les Capes-Vertes plaçaient sûrement beaucoup d'espoirs en elle.

En pénétrant dans la salle, elle vit Conor qui attendait avec son loup. La pièce était presque trop spacieuse, bien plus grande que celle où elle s'entraînait à Jano Rion. Elle supposa que le haut plafond voûté avait été prévu pour permettre aux animaux totems pourvus d'ailes de voler.

– Content de te voir, lança Conor, les bras croisés. Je commençais à me demander si j'étais au bon endroit.

– J'ai trouvé un mot sur mon plateau ce matin, exigeant que je vienne ici avec Jhi après le petit déjeuner.

Conor acquiesça.

– Moi aussi. Du coup, ça m'a coupé l'appétit. Je... je ne sais pas très bien lire, alors on m'a aidé à le déchiffrer.

Il rougit.

– Tu crois qu'ils vont nous faire passer un test ?

– Peut-être veulent-ils simplement évaluer notre niveau.

– Jhi est sur ta main ?

– Oui, elle préfère rester à l'état passif la plupart du temps.

Conor hocha la tête. Comme il avait épuisé tous les sujets de conversation, il se pencha pour caresser Briggan.

Meilin sentait bien qu'elle le mettait mal à l'aise. C'était un garçon de basse extraction, un simple fils de berger sans aucune éducation. Pourtant, d'une certaine manière, il était son égal car il avait fait apparaître l'une des Bêtes Suprêmes. Pourquoi lui ? Était-ce le fruit du hasard ? Mais le hasard pouvait-il ainsi se jouer d'une personne ?

Rollan entra alors dans la pièce, son faucon sur l'épaule.

– Je suis en retard ?

Conor leva la tête, visiblement soulagé.

– Ah, te voilà !

Ils échangèrent un regard entendu. Avait-elle raté quelque chose ? Avaient-ils parlé d'elle dans son dos ? Son pays était en guerre, elle n'avait aucune envie de perdre son temps avec ce genre de considérations triviales; malgré tout, elle ne pouvait s'en empêcher, et ça l'agaçait d'autant plus.

– Personne n'est venu vous voir? s'enquit Rollan.

– Non, pas encore, répondit Conor.

Rollan contempla les armes disposées contre les murs de la salle: épées, cimeterres, couteaux, lances, hallebardes, haches, gourdins et massues.

– On est censés se battre à mort? s'étonna-t-il.

– Il vaudrait mieux éviter! répondit Tarik qui venait d'arriver, escorté de deux hommes et d'une femme.

Ils portaient tous la cape verte, et semblaient fascinés par Essix et Briggan.

– Qui sont vos compagnons? voulut savoir Rollan.

– De simples observateurs, affirma Tarik. Ils vous aideront si nécessaire. Mais ne vous souciez pas d'eux. Je veux juste vous proposer quelques exercices.

– Encore des gens qui vont nous fixer, grommela Rollan.

Les deux hommes se rapprochèrent de lui et de Conor, tandis que la femme rejoignait Meilin. Elle était un peu forte, mais musclée.

– Meilin, pourrais-tu faire apparaître Jhi ? demanda Tarik.

La jeune fille pensa très fort au tatoo ornant le dos de sa main. Parfois, elle oubliait même son existence, mais en se concentrant elle décela une chaleur, une vague présence derrière l'image. Elle appela Jhi par la pensée, imagina une porte qui s'ouvrait... Il y eut un éclair, le tatoo disparut tandis que le panda se matérialisait à ses côtés.

– Bravo, la félicita Tarik. Parfois, au début, certains ont du mal à faire revenir leur animal à l'état actif. Tu as réussi sans difficulté, et c'est très important car, lorsqu'il est passif, votre totem ne peut pas vous aider.

Meilin acquiesça avec un petit sourire modeste. Elle avait beau être habituée aux compliments, elle y était toujours sensible. Elle remarqua que les garçons, surtout Rollan, lui jetaient des regards envieux. Elle fit comme si de rien n'était.

– Nous allons maintenant vous bander les yeux, annonça Tarik, afin de tester votre connexion avec votre animal totem.

Meilin se tint parfaitement immobile tandis que la femme lui nouait un foulard derrière la tête.

– Parce que vous vous battez souvent les yeux fermés ? s'étonna Rollan.

La jeune fille avait pensé exactement la même chose sans toutefois oser le dire tout haut.

– Nous allons simplement simuler une situation où votre totem serait hors de vue, expliqua Tarik sans perdre patience, comme s'il n'avait pas perçu le sarcasme. Détendez-vous et suivez les instructions.

Meilin sentit qu'on lui prenait le coude pour lui faire faire quelques pas. Elle s'efforça de garder ses repères pour se situer dans la pièce. Au bout d'une minute environ, Tarik déclara :

– Les totems ont tous changé de place. Vous allez essayer de retrouver le vôtre. Je prie les animaux de bien vouloir rester silencieux, évidemment.

Meilin avait beau se concentrer, elle n'entendait rien, elle ne sentait rien. Elle tâcha de se rappeler la vague présence qu'elle avait perçue sous le tatoo quand Jhi était à l'état passif, en vain.

– Bien, Conor, tu brûles !

La jeune fille s'efforça de conserver un visage impassible, mais elle était déçue. C'était impossible que Conor ait établi un lien plus fort qu'elle avec son animal totem ! Il ne maîtrisait même pas l'état passif ! Peut-être avait-il simplement eu de la chance.

– Désolé, Rollan, mais tu pars dans le mauvais sens. En revanche, Conor, tu te débrouilles très bien. Quand Briggan se déplace, tu suis parfaitement ses mouvements.

Meilin ordonna par la pensée à Jhi de se manifester, mais elle n'obtint rien. Pourtant le panda lui obéissait depuis le début.

– Meilin, si tu hésites, fie-toi à ton instinct, lui conseilla Tarik.

La jeune fille ne voulait pas se lancer dans une direction au hasard, mais Tarik lui fournissait peut-être un indice. Sa connexion avec son animal n'était sans doute qu'une histoire d'instinct. Voilà pourquoi Conor réussissait aussi bien : ce n'était pas la peine de réfléchir.

Prise d'une inspiration soudaine, elle tendit le doigt vers la droite.

– Tu gèles, Meilin ! commenta Tarik d'un ton légèrement moqueur.

Elle essaya alors la gauche.

– C'est mieux, mais tu es encore très loin, l'informa-t-il.

Meilin avait beaucoup de mal à cacher son agacement. Quelle épreuve idiote ! Elle supplia mentalement Jhi de lui indiquer où elle était. Hélas, une fois de plus, elle ne sentit rien.

– Pas mal, Rollan, encouragea Tarik. Tu t'améliores. Conor, tu es naturellement doué.

La jeune fille décida de ne pas en prendre ombrage. Elle n'avait jamais tenté de repérer Jhi de cette manière. Les garçons s'étaient probablement déjà entraînés.

– Tu veux réessayer, Meilin ? lui proposa Tarik.

Elle ôta son bandeau en avouant :

– Je ne ressens rien.

Elle chercha son panda des yeux. La femme promenait Jhi le long du mur.

– Ça viendra, affirma Tarik en constatant sa déception.

Meilin observa Conor. Il suivait Briggan du doigt même lorsque celui-ci changeait de direction. Essix volait au-dessus de leurs têtes. Rollan semblait pouvoir deviner dans quelle partie de la salle elle se trouvait, sans plus de précision.

– Comment puis-je m'améliorer ? demanda la jeune fille.

– Tu sais déjà tirer Jhi de l'état passif, lui rappela Tarik, c'est donc que tu as gagné la confiance de ton animal. J'imagine qu'il faut juste un peu de temps pour étoffer votre relation. Pour cela, tu dois apprendre à être plus réceptive.

Meilin acquiesça. Jhi lui obéissait toujours parfaitement, alors qu'est-ce qui clochait ? Elle fronça les sourcils. Tarik avait raison. Le panda devait faire ce qu'il fallait, c'était elle qui n'arrivait pas à percevoir les signaux qu'il lui envoyait. Même si Jhi suivait ses ordres, elles n'étaient pas proches. Quelle relation étaient-elles censées avoir ? De la complicité ? De l'affection ? Meilin avait du mal à éprouver du respect pour un animal aussi docile et aussi lent, néanmoins, c'était son totem. Elle n'en aurait pas d'autre. C'était à elle de faire un effort.

– Vous pouvez ôter vos bandeaux, annonça Tarik.

Meilin considéra l'arsenal accroché aux murs. Les épées en bois étaient sans doute prévues pour l'entraînement, mais, quant au reste, il s'agissait visiblement de vraies armes, émoussées pour certaines. Avec ou sans l'aide de Jhi, elle pouvait l'emporter sur les deux garçons dans n'importe quelle forme de combat. Elle avait très envie de faire une démonstration de force, mais serait-ce sage ? Son père lui avait recommandé de ne jamais faire étalage de ses capacités, de manière à pouvoir surprendre son adversaire en cas de besoin.

– Maintenant, nous allons passer à un exercice plus physique. Allez contre le mur du fond, tous les trois, ordonna Tarik. Vous traverserez la pièce pour venir toucher le mur opposé aussi haut que possible, puis vous reviendrez ici et vous taperez dans le sac de frappe de toutes vos forces. Demandez à vos animaux d'améliorer vos performances autant qu'ils le peuvent.

Meilin se tourna vers le sac de toile, suspendu par une chaîne à une poutre. Il était plus grand qu'elle et paraissait extrêmement lourd.

– Et on part tous en même temps ? s'enquit-elle.

– Oui, confirma Tarik. Le premier à atteindre le sac le frappera d'abord, et ainsi de suite. Nous évaluerons votre vitesse, la hauteur de votre saut et la force de votre coup. Vous pouvez vous concentrer un instant avec vos animaux.

Meilin s'approcha de Jhi. Le panda, assis sur son derrière, la dévisagea sereinement. Il se lécha la patte. Son attitude détendue ne rassura pas du tout la jeune fille.

– Tu crois pouvoir m'aider dans cette épreuve ? Tu pourrais me donner de l'énergie pour que j'aille plus vite ? Je n'ai jamais ressenti ça chez toi, mais c'est le moment de me montrer ce dont tu es capable.

Le panda pencha la tête, l'air perplexe.

– Écoute, lui chuchota-t-elle, pendant qu'on est coincés ici à s'entraîner, mon père et son armée doivent se défendre sans nous. Je sais que tu as des pouvoirs, tu es l'une des Bêtes Suprêmes. Alors je voudrais que tu m'aides, parce que le temps joue en faveur de l'ennemi. Tu comprends? Ce n'est pas un jeu, c'est la guerre.

Meilin crut distinguer une lueur dans son regard argenté... ou bien l'avait-elle imaginé?

Les garçons se dirigeaient vers le mur, aussi les rejoignit-elle au petit trot. Elle était en bonne forme physique. Même si plusieurs semaines avaient passé depuis sa dernière séance d'entraînement avec ses maîtres, elle avait continué à faire quotidiennement ses exercices afin d'entretenir ses réflexes et son endurance.

Les deux garçons étaient plus grands, mais elle était rapide et savait frapper fort.

Briggan faisait les cent pas le long d'un des murs latéraux, fixant les trois enfants de son regard intense de prédateur. Essix alla se percher sur la poutre où était accroché le sac de frappe. Quant à Jhi, elle resta où Meilin l'avait laissée, sans cependant la quitter des yeux.

D'un ton moqueur, Rollan lança à la jeune fille:

— Tu courais beaucoup dans ton palais?

— Je ne vivais pas dans un palais, rétorqua-t-elle.

Et c'était vrai, même si elle se doutait que, aux yeux des deux garçons, cela y ressemblait sans doute énormément, si tant est que tout n'ait pas été réduit en ruine.

– Je cours bien, intervint Conor, mais je n'ai pas eu l'occasion de m'entraîner ces derniers temps. Et toi, Rollan ?

– Quand on est orphelin, on est obligé de courir vite. Sinon on finit en prison.

– Et tu n'en sors pas, justement ? riposta Meilin.

– C'est bon ? demanda Tarik.

L'un des Capes-Vertes se tenait à côté d'eux, contre le mur de départ. L'autre était posté à l'endroit où ils devaient sauter. Et le dernier attendait près du sac de frappe. Les trois enfants étaient adossés au mur.

– À vos marques, prêts... partez ! cria Tarik.

Meilin s'élança à toute allure. Dans sa tête, elle supplia Jhi de l'aider à aller plus vite, tout en se disant qu'elle était ridicule. C'était difficile d'imaginer une quelconque accélération de la part de ce lambin de panda. Avec leurs animaux totems agiles, Conor et Rollan avaient plus de chances.

Lorsque Meilin s'approcha du mur pour sauter, Rollan la devançait de quelques pas et Conor était au même niveau qu'elle. Elle n'avait rien éprouvé d'inhabituel en courant.

Elle réfléchit. Si les garçons essayaient de sauter trop haut, cela risquait de les ralentir. En revanche, si elle se concentrait sur le demi-tour, elle pourrait gagner du terrain et peut-être arriver la première au sac de frappe. D'un autre côté, si le saut comptait pour un tiers de la note, un bond faiblard risquait de lui valoir la dernière place même si elle cognait fort.

Devant elle, Rollan ralentit un peu et sauta, touchant le mur aussi haut qu'il put. C'était correct, mais pas extraordinaire. Meilin décida de tenter sa chance.

Alors qu'elle bondissait, la jeune fille sentit soudain un étrange afflux d'énergie, elle prit appui sur le mur pour sauter encore plus haut. Conor était à ses côtés et, bien qu'il soit plus grand, il ne réussit pas à atteindre la même hauteur qu'elle.

Dès qu'elle fut retombée à terre, elle tourna les talons et fila à toutes jambes. Rollan était deux ou trois mètres devant elle.

Un hurlement strident retentit alors. Briggan. Meilin eut beau s'efforcer de rester concentrée, ce cri lui donna la chair de poule.

Conor la dépassa, puis doubla Rollan. Il atteignit le sac quelques secondes avant ce dernier, sauta et donna un coup d'épaule dedans. Il s'y cogna durement et s'affala à terre tandis que le sac oscillait à peine.

Meilin étudia sous quel angle il valait mieux aborder le sac. Il semblait très lourd. Autant taper dans un mur.

Rollan donna un coup de poing dedans en passant. Le sac absorba le choc sans bouger d'un millimètre. Au moins, Conor l'avait légèrement ébranlé.

En suppliant Jhi de lui prêter de sa force, Meilin prit son élan et frappa le sac des deux pieds. L'énorme sac tangua un peu, mais pas franchement. Elle se réceptionna sur ses deux mains et se releva aussitôt, hors d'haleine.

– Ça va, Conor ? s'inquiéta Tarik.

Le garçon se redressa en se massant l'épaule.

– Oui, oui.

– Vous auriez dû nous prévenir qu'il était rempli de cailloux, se plaignit Rollan, qui se frictionnait la main.

– Non, c'est du sable, rectifia Tarik avant de se tourner vers les autres Capes-Vertes. Alors qu'est-ce que vous en pensez ?

– Ils n'ont pas vraiment été au-delà de leurs capacités naturelles, jugea la femme.

– À part vers la fin, quand Conor a décuplé sa foulée, souligna l'un des hommes.

– Qu'est-ce que tu as éprouvé ? l'interrogea Tarik.

– Quand Briggan s'est mis à hurler ? Je ne sais pas... C'était comme si le vent me poussait dans le dos. J'ai ressenti une décharge d'agressivité. Je n'avais pas prévu de me jeter comme ça sur le sac, mais j'ai été pris d'une impulsion soudaine... que j'ai bien regrettée !

Le Cape-Verte qui était près du mur ajouta :

– Je crois que Meilin a eu un petit coup de pouce pour sauter.

– Tu l'as senti, Meilin ? la questionna Tarik.

– Oui, un peu... mais j'avais plutôt l'impression d'être seule.

– Si le panda l'avait aidée, il l'aurait ralentie, plaisanta Rollan.

– En tout cas, toi, tu as frappé le sac comme un oiseau, répliqua-t-elle. Une caresse aussi légère qu'une plume.

– Ouh là ! s'exclama-t-il en levant les deux mains en signe de reddition. Faut pas se moquer du panda, on dirait.

– Arrêtez de vous chamailler, intervint Tarik. Le lien que vous tissez avec votre animal est unique. Ce n'est pas un concours. Je voulais simplement que vous preniez conscience de votre relation à votre totem et de la manière dont vous pouvez vous soutenir.

Meilin avait du mal à contenir sa colère. Ces exercices n'avaient fait que souligner à quel point Jhi était inutile. Si c'était tout ce que ce panda avait à lui offrir, alors elle avait commis une terrible erreur en quittant le Zhong.

Dire qu'elle avait abandonné son père, son pays... pour ça !

– C'est fini ? demanda Conor.

Tarik échangea un signe de tête avec les autres Capes-Vertes.

– Oui, nous en avons vu suffisamment pour le moment, déclara-t-il.

– Et quand c'est vous qui frappez le sac, ça donne quoi ? lui lança Rollan d'un air de défi.

Tarik consulta ses collègues, puis se tourna vers les enfants.

– Vous voulez une petite démonstration ?

Meilin laissa échapper un léger soupir. La dernière chose dont elle avait envie après sa piètre performance, c'était de voir un expert en action. Mais les garçons encouragèrent Tarik.

Il y eut un éclair, et une loutre au poil luisant apparut.

Rollan manqua s'étouffer de rire.

– Votre animal totem... c'est une loutre ?

– Lumeo est un vrai clown ! s'exclama Tarik.

Comme pour le prouver, la loutre exécuta une série d'acrobaties. Son corps souple se contorsionnait en tous sens, telle la queue d'un cerf-volant. Conor applaudit.

– Bravo! fit Tarik. Tu es une star! Ça te dérangerait de me donner un petit coup de main, maintenant?

La loutre se redressa, attentive, puis le suivit du regard tandis qu'il gagnait le mur d'où les enfants étaient partis. Meilin retint son souffle en le voyant prendre le départ: personne n'était capable d'une telle accélération!

Lorsqu'il atteignit le mur d'en face, il le frappa à trois reprises, de plus en plus haut, deux fois plus haut qu'elle! En retombant, il prit appui contre le mur, fit une pirouette arrière et repartit en courant. Puis il cogna dans le sac de frappe, qui tangua violemment.

– Incroyable! commenta Conor.

Rollan siffla entre ses doigts pour manifester son enthousiasme.

Meilin se força à applaudir aussi pour ne pas passer pour une mauvaise joueuse. C'était vraiment impressionnant. Jamais elle n'aurait imaginé que cet homme grand et mince était capable d'une telle agilité.

Tarik tendit la main vers sa loutre.

— C'est Lumeo qu'il faut féliciter. Sans lui, je n'aurais pas pu faire tout ça. Nous formons une équipe, comme chacun de vous avec son animal. Développez ce lien, vos efforts seront récompensés.

— Impressionnant, concéda Meilin, mais on s'égare. La guerre fait rage. Des gens meurent. Quand allez-vous nous dire ce que vous attendez de nous ? Je n'ai pas traversé tout l'Erdas pour faire la course et taper dans des sacs de sable !

— Très bientôt, les Capes-Vertes répondront à vos questions, promit Tarik. Olvan met la dernière touche à son plan. Vous n'avez pas idée du rôle capital que vous aurez à y jouer, tous les trois ! Nous nous efforcerons d'employer au mieux votre pouvoir. Et vous vous efforcerez d'être prêts.

Sur ces bonnes paroles, Tarik et les autres Capes-Vertes quittèrent la pièce. Meilin préféra éviter de discuter avec Conor et Rollan et rejoignit Jhi, qui s'était allongée sur le dos, les pattes écartées, dans une position ridicule.

— On retourne à la chambre, lui annonça-t-elle.

Jhi la regarda, comme si elle attendait quelque chose. Meilin leva la main.

– Ah, tu veux que je te porte ? Eh bien, tu sais quoi ? Pour te remercier de m'avoir tant aidée aujourd'hui, je vais te laisser marcher !

La jeune fille prit la direction de sa chambre, sans se soucier que le panda suive ou non.

L'île

À la lueur d'une énorme lune dorée, Abéké s'avança sans bruit le long du toit, sur les traces de sa panthère. De son perchoir, elle voyait le lagon où leur bateau avait jeté l'ancre. Dans cet air humide et chaud, le parfum touffu de la jungle se mêlait à l'odeur piquante et salée de la mer.

Selon Shane, ils étaient sur une île du golfe d'Amaya, de l'autre côté de l'océan qui bordait le

Nilo. Elle avait déjà exploré les environs au cours de ses deux précédentes escapades, et il s'agissait bien au moins d'une péninsule. Comme elle dormait lorsqu'ils avaient accosté, elle voulait vérifier par elle-même si elle se trouvait vraiment sur une île. Non qu'elle mît la parole de Shane en doute, mais ça l'occupait. Surtout qu'elle n'avait jamais mis les pieds sur une île auparavant.

Uraza sauta du toit sur le sommet d'un mur. Il n'était pas très éloigné, mais faisait à peine trente centimètres de large. Voyant qu'Abéké hésitait, la panthère la fixa, ses yeux étincelant au clair de lune. La jeune fille se sentit soudain beaucoup plus sûre d'elle. Ses muscles se détendirent, elle avait l'impression d'être plus leste et habile, elle n'avait plus peur de perdre l'équilibre. Elle était consciente de tous les bruits de la nuit : des créatures qui fouinaient dans le noir, le cri d'un oiseau, une conversation étouffée un peu plus bas, sur un balcon ou bien dans la cour. Elle y voyait mieux, même dans la pénombre, et elle distinguait les mille odeurs en suspens dans l'atmosphère nocturne.

Abéké atterrit d'un bond agile sur le mur d'enceinte, le parcourut sur quelques mètres, puis se suspendit dans le vide pour sauter sur le sol sablonneux.

Personne ne l'avait vue s'échapper. Et peu importait, d'ailleurs. Si elle se faisait prendre, tout ce qu'elle risquait, c'était la honte d'avoir échoué. Elle appréciait de s'entraîner en extérieur, car les exercices que lui proposait Shane étaient utiles, mais artificiels. Ses escapades nocturnes lui semblaient bien plus authentiques.

Sur les traces de sa panthère, Abéké s'engouffra dans l'ombre verte de la jungle, entre fougères et arbres. Elle n'avait pas l'habitude d'évoluer au milieu d'une végétation aussi luxuriante, de se mouvoir entre toutes ces lianes et ces plantes grimpantes, de voir tant d'arbres regroupés. Mais elle supposait que l'humidité ambiante expliquait pourquoi les plantes se plaisaient ici. Depuis leur arrivée, il avait plu deux fois, de courtes averses très intenses qui survenaient sans prévenir et s'arrêtaient aussi soudainement qu'elles avaient commencé. Abéké aurait aimé pouvoir envoyer un peu de cette eau abondante à son village.

La forteresse où ils résidaient disparut derrière un rideau vert. Située au bord de la crique protégée où les bateaux jetaient l'ancre, ce bastion ceint d'une haute muraille semblait bien être le seul bâtiment de l'île.

– Par ici, Uraza, dit la jeune fille en montrant le chemin à sa panthère, car celle-ci grimpait déjà vers les hautes terres qu'elles avaient déjà explorées. J'aimerais voir l'autre côté de l'île.

Le félin prit la direction indiquée. Le bruissement des feuilles, les cris des oiseaux n'inquiétaient pas Abéké. Elle ne se serait jamais aventurée seule dans cette jungle la nuit, mais avec Uraza à ses côtés elle se sentait invincible.

Elles avançaient sans hâte, se faufilant à travers les buissons comme deux fantômes. Dans une sorte de transe, la jeune fille imitait sa panthère. Elle s'arrêtait quand l'animal s'arrêtait, reprenait sa marche quand il repartait.

Grâce à leur lien intense, Abéké apprenait les techniques de chasse de la panthère et lui empruntait ses sens aiguisés ainsi que ses manières furtives.

Au bout d'un moment, elles émergèrent des arbres pour gravir une pente, de plus en plus raide. Ici, les buissons étaient plus bas, ce qui permit à Abéké d'embrasser du regard l'épaisse forêt d'où elles venaient de sortir. Elle repéra même les lumières de la forteresse, petits points orangés au bord du lagon.

Du sommet presque nu, elle vit pour la première fois l'autre côté de l'île. Le terrain descendait quasi à pic vers la mer.

À la lueur de la lune, elle discernait la ligne de la côte, en partie protégée des flots par de hautes dunes de sable.

Il n'y avait pas d'autre île en vue. Son regard fut attiré par une plage de sable blanc, dans une petite anse, où brûlaient deux feux de camp. Pour être visibles à cette distance, ils devaient être d'une taille impressionnante.

Des silhouettes allaient et venaient sur la plage, ombres noires que les flammes éclairaient par instants.

– Regarde, chuchota Abéké. Qu'est-ce que ça peut bien être ?

La panthère s'accroupit pour observer la scène.

Abéké plissa les yeux.

– Difficile à dire d'ici. Ils sont très loin de la forteresse. Peut-être des pirates... Il paraît qu'ils pullulent dans les parages.

Uraza ne réagit pas.

La jeune fille se demanda si Shane et les autres savaient qu'ils n'étaient pas seuls sur l'île. Ces silhouettes sur la plage pouvaient-elles représenter une menace pour eux ?

C'était peu probable. Il y avait des dizaines d'hommes dans ce bastion bien sécurisé, dont de nombreux soldats, pour la plupart accompagnés de leur animal totem. Trois grands navires étaient ancrés dans la baie.

D'après Shane, d'autres devaient arriver prochainement, pour amener des personnalités de haut rang. Et s'il s'agissait d'eux ? Non, des visiteurs seraient venus directement à la forteresse.

– Ça ne me plaît pas, murmura Abéké. Tu crois qu'on pourrait s'approcher sans se faire repérer ?

En réponse, Uraza agita la queue et entreprit de descendre vers la plage. La jeune fille la suivit.

Elles repassèrent bientôt sous le couvert des arbres. Abéké s'efforçait d'avancer sans bruit. Ce n'était plus un jeu. Les gens d'en bas pouvaient être dangereux.

Une douce brise agita les feuillages, portant une légère odeur de feu de bois. Tant mieux, le bruissement couvrirait leurs pas.

Au terme d'une longue marche, la fumée se fit plus âcre, Abéké distingua les échos d'une conversation. Soudain un cri transperça la nuit. Puis un deuxième, moins strident, suivi d'un troisième.

Retenant son souffle, la jeune fille s'agenouilla près de sa panthère. Les cris s'interrompirent. Ils ne paraissaient pas humains, mais ne lui évoquaient pas non plus un animal précis... En tout cas, ils étaient désespérés.

Uraza se remit en marche. En avançant prudemment, petit à petit, toutes deux arrivèrent enfin en vue de la plage. Ensemble, elles s'accroupirent le plus près possible, tentant de voir à travers les feuillages denses.

Telles deux petites huttes incendiées, les feux de camp lançaient leurs hautes flammes vers le ciel. Dans leur lueur dansante, Abéké aperçut une dizaine d'hommes environ et six grandes cages. Quatre contenaient des bêtes monstrueuses : une sorte d'oiseau de proie gigantesque, un animal hérissé de piquants comme un porc-épic, mais de la corpulence d'un buffle, un interminable serpent roulé sur lui-même, du genre boa constrictor, et une espèce de rat géant, de taille à terrasser une antilope.

Un chien ordinaire faisait les cent pas dans la cinquième cage. Il paraissait minuscule et un peu effrayé, comparé à ses abominables voisins. La sixième cage était vide.

Un homme drapé dans une cape à capuche s'en approcha, un rat au creux de la main. Le rongeur était gros, mais ce n'était rien en comparaison de son congénère prisonnier.

– On va doubler la ration de celui-là pour voir la différence, dit-il.

– On est censés respecter le dosage ! protesta un petit chauve.

– On en a plein, de la potion, rétorqua l'autre.

Et comme on a perdu le perroquet, ça nous a libéré une cage. Allez, on fait l'expérience.

L'homme sortit une gourde en peau de sous sa cape et la retourna au-dessus de la gueule du rat. L'animal se débattit, agitant follement la queue.

– Ça suffit ! intervint l'un des autres.

– Mets-le vite en cage, ordonna le chauve.

– Pas tout de suite, décréta l'homme à la capuche en rebouchant sa gourde. Si on l'enferme trop tôt, il risque de se faufiler entre les barreaux.

Il tendit la main pour que ses compagnons puissent voir le rat. Celui-ci se tortillait, gonflant à vue d'œil. Il se démenait de plus en plus et poussait des cris perçants.

L'homme finit par se retourner afin de glisser le rongeur dans la cage. Le rat se tordait de douleur sur le plancher, tandis que de nouveaux bourrelets de chair surgissaient sous sa fourrure. Ces hurlements de désespoir étaient semblables à ceux qu'Abéké avait entendus plus tôt. Il en laissa échapper un dernier avant de se jeter contre les barreaux. Il était difforme, boursouflé, les muscles saillant de partout. Il revint à la charge à plusieurs reprises, faisant tanguer la cage, puis finit par se calmer.

Abéké n'en revenait pas. Comment réagirait Shane lorsqu'elle lui raconterait tout ça? La croirait-il seulement? Elle se tourna vers Uraza en murmurant:

— Tu es mon seul témoin. Tu as vu ce qui s'est passé? Ce n'est pas naturel! Je me demande ce qu'ils lui ont donné.

— Qu'est-ce que je t'avais dit? s'écria le chauve. Une dose, c'est une dose, peu importe la quantité.

— Il est un peu plus gros, quand même, affirma l'homme de sous son capuchon. Et j'ai l'impression que la métamorphose a opéré plus vite.

— On perd notre temps. Allez, finissons-en.

— Le dernier ne devrait pas poser de problème, reprit l'autre. Amiral est bien dressé. Si ça se trouve, il restera aussi docile après avoir pris la Bile.

— Ça, c'est ce qu'on va voir, marmonna le chauve.

L'homme à la capuche sortit sa gourde.

— Combien tu paries?

Il se posta devant la cage du chien.

— Assis, Amiral.

Le chien obéit.

– Parle !

L'animal se mit à aboyer en battant de la queue.

L'homme déboucha sa gourde et glissa le goulot entre les barreaux.

– Viens, mon chien.

Comme celui-ci s'approchait, il lui versa le liquide dans la gueule, puis il recula.

Les autres hommes firent cercle autour de la cage, brandissant leur lance d'un air méfiant. L'un d'eux arma même son arc.

Abéké ne voulait pas voir ça, pourtant elle était incapable de détourner les yeux.

Le chien enflait de plus en plus, secoué de convulsions, en gémissant faiblement. Ses muscles s'épaississaient, ses babines se soulevaient d'un air féroce tandis que de l'écume se formait au coin de sa gueule.

Il poussa alors un grondement sourd avant de se jeter contre les barreaux de la cage, manquant la renverser.

– Assis, Amiral ! ordonna l'homme de sous son capuchon.

Le monstrueux animal s'exécuta.

– Parle !

Il laissa échapper un aboiement terrible qui résonna jusqu'au fin fond de la forêt, dispersant les oiseaux effrayés.

– Bien, Amiral, le félicita son maître. Bon chien.

– Là, je suis impressionné, avoua le chauve. Mais je ne le sortirais pas de là sans laisse, quand même.

Certains hommes s'esclaffèrent tandis que les autres se contentaient de serrer leurs armes dans leur poing.

Un léger vent se leva soudain.

Le chien tourna brusquement la tête vers la jungle, en direction d'Abéké, et grogna. Les hommes tentèrent de voir ce qu'il fixait ainsi. La jeune fille résista à l'envie de s'enfoncer dans les buissons. Au contraire, il ne fallait surtout pas bouger pour ne pas attirer les regards. Il ne restait qu'à espérer que l'ombre des feuillages la masquait.

Le chien se mit à aboyer sauvagement.

– Qu'est-ce qui se passe, Amiral ? s'inquiéta l'homme encapuchonné, scrutant la forêt.

– Non, non, non, murmura Abéké.

L'énorme bête jappa de plus belle et recommença à se jeter contre les barreaux. Les hommes criaient, mais leurs mots étaient couverts par les aboiements. La cage oscilla dangereusement. Le chien s'attaqua alors au plafond. Sous ses coups répétés, le bois se fendit.

Abéké sentit alors une légère morsure sur son poignet. Uraza l'avait doucement saisi dans sa gueule. Après avoir ainsi attiré son attention, la panthère se renfonça sous les arbres. La jeune fille l'imita.

Au milieu du vacarme qui montait de la plage, un violent craquement retentit. Jetant un coup d'œil par-dessus son épaule, Abéké vit l'énorme chien traverser le toit de la cage, qui vola en morceaux. Ignorant les hommes qui agitaient leurs lances sans grande conviction, il s'élança vers la forêt, faisant voler le sable autour de lui.

Uraza fila, Abéké la suivit. Oubliant toute discrétion, la jeune fille fonçait droit devant, regrettant de n'avoir qu'un couteau pour seule arme. Mais de toute façon que pouvaient les armes contre une bête pareille ?

Elles l'entendaient qui se rapprochait en jappant férocement.

Abéké accéléra. Elle n'avait pas le temps d'échafauder un plan, elle courait, courait à toutes jambes, mue par une terreur sans nom. Alors qu'à l'aller, elle avait réussi à se faufiler entre les arbres sans un bruit, elle trébuchait maintenant à chaque pas. Les branches la fouettaient, elle se prenait les pieds dans les racines.

Elle tomba à plusieurs reprises, mais se relevait aussitôt en s'agrippant aux buissons, courant, rampant, nageant dans la végétation.

L'énorme bête gagnait du terrain. Abéké s'attendait à sentir ses dents se refermer sur sa cheville à tout instant. Elle avait perdu Uraza de vue. Le chien était sur ses talons. Déterminée à résister jusqu'au bout, Abéké fit volte-face pour l'affronter, son couteau à la main.

Brusquement, tous ses sens furent en alerte. Voyant le chien fondre sur elle, elle s'accroupit. Lorsqu'il s'élança, elle l'esquiva d'un bond leste, brandissant son couteau. La pointe de la lame écorcha le flanc de l'animal au passage.

Abéké se tapit derrière un arbre... et le chien fonça dessus avec une telle force que le tronc fut ébranlé, mais il tint bon. La jeune fille détala. Hélas, l'animal la poursuivait sans relâche. Épuisée, elle trébucha, roula sur le dos, brandissant son couteau, au désespoir. Le chien se rua sur elle, la gueule béante, ses immenses canines luisant dans la pénombre.

Poussant un grondement qu'Abéké n'avait jamais entendu, Uraza surgit hors de la nuit. Sa mâchoire se referma sur la nuque du chien, le stoppant net. Chien et panthère roulèrent à terre, frôlant la jeune fille dans le noir en un tourbillon de dents, de griffes et de poils.

Le premier mouvement d'Abéké fut de prendre la fuite. Le second, d'aider Uraza. Mais ensuite elle fut prise d'une furieuse envie de grimper. Si forte qu'elle finit par enlacer le tronc de l'arbre le plus proche, pour se hisser toujours plus haut à l'aide des bras et des genoux.

Enfin, elle trouva une branche courte où se poster. Elle vit qu'Uraza s'était également réfugiée dans un arbre. Une tache rouge maculait son beau pelage tacheté. En bas, le chien furieux jappait, aboyait, hurlait. Il fit trembler l'arbre d'Abéké en se jetant dessus de toutes ses forces, mais elle se cramponna. Elle avait perdu son couteau. Son seul espoir était que le monstre finisse par se lasser.

Soudain, quelque chose attira l'attention du chien. Il courut vers un autre arbre. Dans la pénombre, Abéké distingua une silhouette perchée dans les branches. Une silhouette qui tenait un arc et tirait sur le chien.

L'animal bondit en poussant un cri rageur et s'attaqua au tronc à coups de pattes. Il grattait frénétiquement malgré les flèches qui pleuvaient sur son dos, ses flancs. Elles finirent par atteindre leur but. La créature vacilla, fit quelques pas en titubant et s'affala à terre avec un jappement plaintif.

La silhouette sauta de sa branche. Elle jeta un coup d'œil au chien avant de venir se poster au pied de l'arbre d'Abéké.

– Tu peux descendre, fit une voix qu'elle connaissait bien, il est mort. Viens, il faut filer.

La jeune fille s'agrippa au tronc pour regagner la terre ferme.

– Shane! Comment m'as-tu trouvée?

– Parce que tu croyais que j'allais te laisser errer dans la jungle toute seule la nuit?

– Tu m'as suivie? s'étonna-t-elle.

– Moins fort! souffla-t-il en regardant autour de lui. Je préférerais éviter que les hommes de la plage nous tombent dessus.

– Ces hommes..., murmura Abéké, ils ont changé ce pauvre chien en monstre en lui donnant une potion.

– Je les connais, lui apprit Shane. J'ignorais qu'ils étaient sur l'île ce soir... Sinon, je t'aurais empêchée d'aller par là-bas.

– Tu étais loin derrière moi?

– Trop loin. Je ne voulais pas que tu me remarques. Mais je pense que ta panthère m'avait repéré.

– Que font ces hommes?

– Ils cherchent à élaborer un produit qui remplace le Nectar. Ils essaient plusieurs formules en secret.

– Mais le Nectar ne crée pas de monstres!

– Ils testent différentes substances, expliqua Shane. Je ne sais pas vraiment quel est leur but.

Mais s'ils nous attrapent, ça finira mal. Mieux vaut y aller.

Uraza s'approcha, le flanc en sang. Abéké s'accroupit auprès d'elle et la prit par le cou.

– Merci, tu m'as sauvé la vie.

Visions

D ans un vestibule spacieux, la lumière du jour filtrait à travers des vitraux, projetant des motifs bigarrés sur le sol. Briggan explorait les lieux, reniflant tous les coins et recoins. Lorsqu'il passa sous la fenêtre, son poil gris-blanc se teinta de taches multicolores. Conor ne savait même plus depuis combien de temps ils attendaient. Ça l'énervait de rester enfermé en permanence dans un château alors qu'il n'était plus au service de Devin. Et il voyait bien que son loup n'appréciait guère cette situation non plus.

La porte s'ouvrit enfin sur Rollan, Essix perchée sur son épaule. Apparemment, Lenori en avait fini avec eux. Conor et Briggan les fixèrent, pleins d'espoir.

– À vous, annonça Rollan.

– Comment ça s'est passé ? voulut savoir Conor.

Son camarade haussa les épaules.

– J'ai dû lui raconter mes rêves. Si c'était un test, je ne suis pas sûr d'avoir réussi. Bon courage.

Le garçon entra à son tour et aperçut Lenori dans un immense fauteuil capitonné qui la faisait paraître minuscule. Sa cape verte était posée sur une table. Elle avait des plumes dans les cheveux, de nombreux bracelets et colliers de perles aux poignets et au cou. Elle avait les jambes allongées, ses pieds nus reposaient sur un tabouret prévu à cet effet, montrant leur plante calleuse et noircie.

À côté d'elle, un étrange oiseau était juché sur son perchoir. Il avait le cou très fin, le bec incurvé et un plumage chatoyant. Lenori invita Conor à s'asseoir sur une chaise. Briggan s'allongea à ses pieds. Elle fixa le garçon d'un regard impénétrable. Peut-être lisait-elle dans ses pensées.

– Comment ça va, Conor ?

La question était posée d'un ton chaleureux, sincère.

– Moi ? Honnêtement ? Je ne suis pas certain que Briggan soit apparu à la bonne personne.

Lenori sourit.

– Un animal totem ne se trompe jamais de compagnon. Encore moins si c'est une des Bêtes Suprêmes. Qu'est-ce qui te fait croire ça ?

Conor regretta de lui avoir fait part de ses inquiétudes. Malgré l'allure détendue de la Cape-Verte, il ne pouvait échapper à son œil scrutateur.

– Je me sens un peu dépassé.

– Je comprends, dit-elle d'une voix douce et mélodieuse. Mais ne t'en fais pas. Personne ne t'oblige à changer du jour au lendemain. Petit à petit, tu vas apprendre à tenir ton rôle. Raconte-moi les rêves que tu as faits depuis l'arrivée de Briggan.

Conor réfléchit un instant.

– Une fois, dans la vraie vie, j'ai dû défendre mon troupeau contre une meute de loups. Ces derniers temps, j'ai souvent revécu cette nuit-là en rêve.

Il jeta un coup d'œil à Briggan, qui avait la gueule ouverte et la langue pendante : on aurait dit qu'il souriait.

– As-tu vu d'autres animaux dans ton sommeil ? le questionna Lenori.

– Un bélier... avec de grosses cornes.

Elle se pencha en avant, intriguée.

– Et ça se passait où ? Que faisait-il ?

Conor revit alors la scène en détail. C'était le genre de rêve qui paraît réel, même lorsqu'on se le remémore.

Il était en train d'escalader une falaise escarpée, il sentait la pierre froide et rugueuse contre sa paume. Il était arrivé à un endroit où il ne pouvait plus progresser, ni monter ni redescendre.

Le vent s'était levé, il se cramponnait à la roche, désespéré, convaincu qu'il aurait beau continuer ou rester sur place, de toute façon, il finirait par basculer dans le vide. Les muscles en feu, il peinait à respirer. Il était à bout de forces, il allait lâcher prise et s'écraser au pied de la falaise. Pourquoi donc était-il monté si haut ?

Il avait finalement décidé de poursuivre son ascension, même si les prises étaient rares. En s'étirant au maximum, il avait glissé le bout des doigts dans une faille de la roche. Alors qu'il s'efforçait de trouver un autre point d'appui, le soleil levant l'avait ébloui.

Plissant les yeux, il cherchait désespérément où poser sa main droite quand une ombre l'avait enveloppé. Un bélier le toisait, perché au sommet de la falaise. Stupéfait, Conor en avait oublié sa situation périlleuse. Il avait fixé l'animal un instant avant que ses mains ne lâchent. Avec un cri perçant, il était tombé comme une pierre.

Il s'était réveillé en sueur juste avant de s'écraser au sol.

— As-tu déjà eu ce genre de bête dans ton troupeau ? s'enquit Lenori.

— Non, mais j'ai déjà vu Arax en peinture, chez mes parents.

— C'était une bête dans son genre, ou bien c'était lui ?

Conor sentait bien qu'il avait piqué la curiosité de la Cape-Verte. Elle le dévisageait de plus en plus intensément, sans jamais cligner des yeux. Il détourna la tête, gêné.

– Bah, ce n'était qu'un rêve mais je crois qu'il s'agissait bien d'Arax.

– As-tu rêvé des autres Bêtes Suprêmes? Rumfuss? Tellun? Tu les connais toutes?

Le garçon toussota, mal à l'aise.

– Je sais qu'il y en a quinze. Mais je ne suis pas très calé. Je peux en citer certaines: Cabaro le lion, Mulop la pieuvre et Arax, bien sûr, parce qu'il a une importance particulière pour nous, les bergers...

– Les Bêtes Suprêmes protègent l'Erdas depuis la nuit des temps. Nous devrions tous mieux les connaître. À part celles que tu as nommées, il y a Tellun l'orignal, Ninani le cygne, Halawir l'aigle, Dinesh l'éléphant, Rumfuss le sanglier, Suka l'ours polaire, Kovo le singe et Gerathon le serpent.

Conor remarqua que Briggan dressait l'oreille.

– Je n'ai jamais rêvé des autres. Juste du bélier.

– À mon avis, ce n'était pas un simple rêve, répliqua la Cape-Verte.

Briggan se releva, aux aguets.

– Le loup a l'air d'accord avec moi, affirma-t-elle.

Son hurlement fit sursauter Conor.

– Certains rêves sont anodins, mais d'autres peuvent être prophétiques, poursuivit Lenori. Avec l'expérience, on arrive à les différencier. Ceux que Rollan et Meilin m'ont racontés ne semblaient pas particulièrement significatifs. J'en espérais davantage de Meilin, mais il faudrait qu'elle se rapproche de Jhi. Je me doutais que tes rêves seraient plus profonds et tu ne m'as pas déçue.

Conor s'agita sur sa chaise.

– Et pourquoi moi ?

– Briggan est celle des Bêtes Suprêmes qui possède le meilleur don de voyance. On le surnomme le Chef de Meute, le Coureur de Lune et, ce qui nous intéresse aujourd'hui, l'Éclaireur.

Conor tendit la main pour caresser l'épaisse crinière du loup et murmura :

– Alors tu es vraiment tout ça ?

Briggan tourna la tête vers lui, la langue pendante, afin de lui adresser l'un de ses sourires de loup.

– Moi aussi, j'ai vu Arax le bélier récemment, reprit Lenori. Voilà pourquoi nous sommes venus ici, à la tour du Couchant, le bastion des Capes-Vertes le plus proche de son territoire.

– Vous savez où le trouver ? demanda Conor.

– Pas précisément, avoua Lenori, mais peut-être qu'ensemble, nous serons à même de le localiser. Mis à part le retour récent de Briggan et des autres, personne n'a croisé les Bêtes Suprêmes depuis de nombreuses années. Arax est l'une des plus solitaires. Il demeure en altitude, où il exerce son influence sur les vents. On ne peut pas espérer tomber sur lui sur un simple coup de chance ou en le pistant. On pourrait errer une éternité à travers la montagne sans jamais l'apercevoir.

Lenori s'interrompit un instant, puis reprit un ton plus bas :

– Voudrais-tu tenter d'avoir une vision éveillé ?

– Moi ? s'étonna Conor. Comment ça ?

– Briggan pourrait te transmettre les informations qu'il a collectées.

Conor se frotta les yeux.

– Mais je ne sais pas, moi...

Lenori s'agenouilla et lui prit la main. À contre-cœur, le garçon se laissa faire.

– Bien que certains Capes-Vertes l'ignorent, nos animaux totems ne sont pas uniquement là pour nous aider à manier l'épée, à courir plus vite ou à sauter plus haut. Le lien si fort qui nous unit à eux offre des avantages bien plus précieux. Détends-toi, je vais te montrer.

– On peut essayer, marmonna Conor.

Pas facile d'être décontracté alors qu'elle lui tenait les mains. Comme si elle le sentait, Lenori recula légèrement.

– Il ne faut surtout pas forcer les choses, lui recommanda-t-elle. Détends-toi en laissant ton regard se perdre parmi les couleurs de Myriam, mon ibis arc-en-ciel, comme si tu contemplais un feu de camp par une belle nuit d'été.

Sur son perchoir, l'oiseau déploya les ailes et les agita doucement, déclenchant une cascade de couleurs. Conor s'efforça de suivre les conseils de Lenori. Il ne fixait pas un point précis, ses yeux vagabondaient sur cet arc-en-ciel.

La voix mélodieuse et rythmée de la Cape-Verte le calmait. Le flot de ses paroles le berçait. Il nota distraitement que Briggan décrivait des cercles dans un sens, puis dans l'autre. Ses paupières lui semblaient de plus en plus lourdes. Il avait beau cligner les yeux, ça ne changeait rien. Au contraire, son environnement devenait de plus en plus flou.

C'était comme s'il s'enfonçait dans un tunnel embrumé. D'où venait donc ce brouillard ? Tout au bout, il aperçut un grizzly et un raton laveur qui filaient à travers une vaste prairie. Au prix d'un effort de volonté, il les rejoignit en flottant dans les airs.

Pourtant, il ne sentait pas le vent contre son visage, il n'avait pas l'impression de se déplacer vraiment. En revanche l'ours et le raton couraient à toutes jambes, les yeux rivés sur l'horizon. En relevant la tête, Conor aperçut une spectaculaire chaîne de montagnes. Au sommet d'une corniche escarpée, dans la lueur du soleil, se découpait la silhouette du grand bélier.

Dès qu'il eut croisé son regard, Conor fut comme tiré en arrière. Malgré lui, il revint dans le couloir de brume, reculant jusqu'à ce que les animaux ne soient plus que de petites taches noires dans le lointain. Puis le tunnel lui-même se volatilisa. Conor se rendit compte que Lenori, Briggan et l'ibis arc-en-ciel le fixaient. Il était en sueur. Il avait un drôle de goût dans la bouche et se sentait cotonneux. On aurait dit qu'il émergeait d'un long sommeil.

– Qu'as-tu vu ? lui demanda la Cape-Verte.

– Euh...

Il n'était pas sûr.

– J'ai... j'ai vu un raton laveur et un gros ours. Ils couraient en direction des montagnes. Arax était perché sur les rochers. Ils allaient à sa rencontre.

– Un ours et un raton laveur, répéta Lenori. Et sinon ?

– Je n'ai pas remarqué grand-chose d'autre. J'étais concentré sur les animaux. J'ai dû traverser un long tunnel.

La jeune femme eut un sourire triomphal. Elle lui prit la main et la serra doucement.

– Tu as réussi, Conor. Je crois que tu nous as montré la voie.

Moins d'une heure plus tard, Conor fut escorté par une douzaine de soldats à travers d'innombrables portes jusqu'à une grande salle dont les rideaux étaient tirés. Olvan, Lenori, Tarik, Rollan et Meilin l'attendaient, accompagnés de leurs animaux totems. Lumeo, la loutre de Tarik, arpentait la pièce, surexcité, escaladant meubles et bibliothèques. Quel étrange couple il formait avec Tarik, qui était si sérieux ! L'élan d'Olvan se tenait près de la cheminée, et ne semblait franchement pas à sa place à l'intérieur.

Olvan se leva, se frotta les mains et balaya la pièce du regard. En dépit des mèches blanches qui se mêlaient à ses cheveux et à sa barbe, il paraissait vigoureux, avec ses épaules larges, ses bras musclés. L'âge ne l'avait pas encore affaibli. Conor l'imaginait monté sur son élan, droit et fier, menant son armée à la bataille.

Le chef des Capes-Vertes se racla bruyamment la gorge.

– Nous avons assez fait durer le suspense quant au rôle que nous espérons vous voir jouer. C'est ma faute, je préférais avoir toutes les cartes en main avant de me décider. La première étape de votre mission sera de devenir un ou une Cape-Verte. Étant donné les derniers rebondissements... – il désigna Conor du menton – il est temps de passer à l'action.

Olvan s'approcha à pas lents de la cheminée. Lorsqu'il se retourna face aux autres, son visage était grave.

– Il y a des siècles et des siècles, durant la dernière guerre mondiale, les quatre continents d'Erdas ont combattu le Dévoreur et son armée de conquérants. Deux Bêtes Suprêmes étaient à ses côtés, Kovo le singe et Gerathon le serpent. Quatre ont soutenu notre camp, dont trois sont ici aujourd'hui.

Olvan s'interrompit pour leur laisser le temps de digérer ces informations. Conor contempla Briggan, avec le sentiment de ne pas le mériter. Le loup écoutait attentivement.

– Avant que Briggan, Essix, Jhi et Uraza ne s'allient à nous, nous étions en train de perdre la guerre. L'ennemi saccageait des villes. La nourriture manquait. Le Dévoreur avait presque remporté la victoire. À l'époque, les Capes-Vertes n'étaient encore qu'une toute jeune organisation, mais, lorsque les quatre Bêtes Suprêmes nous ont apporté leur soutien, une foule de Tatoués nous ont rejoints, avec leurs animaux totems. Les Capes-Vertes ont ainsi réussi l'exploit de préparer une offensive de grande envergure pour attaquer le Dévoreur en personne. Les quatre Bêtes Suprêmes y ont perdu la vie, ce qui leur a valu le surnom de «Quatre Perdues». Mais le Dévoreur est mort également, Kovo et Gerathon ont été capturés. Le monde d'Erdas était en ruine, mais victorieux.

– Et les neuf Bêtes restantes? s'enquit Rollan. Quel a été leur rôle dans la guerre?

Olvan haussa les épaules.

– En voyant les dégâts causés par Kovo et Gerathon, certaines nous ont proposé leur aide, tout à la fin. Tellun l'orignal, le plus puissant, les a jetés en prison. Ninani le cygne a donné aux Capes-Vertes la recette secrète du Nectar. Quant aux autres... Les Bêtes Suprêmes sont très spéciales. Elles sont rarement toutes du même avis et leurs desseins sont impénétrables. Elles ne s'impliquent qu'en cas d'extrême danger.

– Et, à leurs yeux, le Dévoreur n'était pas une menace suffisante ? s'étonna Rollan.

Olvan soupira.

– Comment savoir... Peut-être que certaines Bêtes Suprêmes ont préféré protéger leur territoire... ou leur talisman.

Conor jeta un regard interrogateur à Lenori.

– Chaque Bête Suprême possède un talisman unique, intervint-elle. Une amulette dotée d'un grand pouvoir.

– Sauf Kovo, Gerathon et les Quatre Perdues : Essix, Jhi, Briggan et Uraza, précisa Meilin. Leurs talismans ont disparu après la guerre. On raconte que Tellun aurait demandé à Halawir l'aigle de les cacher.

– Bien, la félicita Olvan, tu as étudié l'histoire de notre monde, à ce que je vois. Tout ce qui concerne les Bêtes Suprêmes est souvent relégué au rang de mythes et légendes, je suis heureux que les Zhongais y voient plus que de simples contes de fées.

Meilin rougit légèrement.

– C'est ma nourrice qui m'a raconté tout ça, pas mes professeurs.

Olvan fronça les sourcils.

– Nous continuons aujourd'hui à rendre hommage aux Quatre Perdues : nous en avons fait nos emblèmes, nous sculptons des statues à leur effigie, nous racontons leurs aventures, mais pour la plupart des gens, elles appartiennent à un passé révolu. Certains doutent même que les Bêtes Suprêmes aient un jour vraiment existé.

– J'étais de ceux-là, affirma Rollan, jusqu'à ce qu'Essix arrive.

Olvan acquiesça.

– On ne peut te jeter la pierre. C'est une opinion courante que partagent à des degrés divers le premier ministre d'Amaya, la reine d'Eura, l'empereur du Zhong et le grand chef du Nilo. Pourtant, les Bêtes Suprêmes ont toujours joué un rôle majeur aux périodes les plus critiques de notre histoire. Nous abordons des temps troublés où elles pourraient se révéler plus utiles que jamais.

– Vous pensez que le Dévoreur est de retour ? demanda Meilin, très agitée. Vous pensez que c'est lui qui a attaqué le Zhong ? Pourquoi ne pas nous avoir avertis ?

– Nous n'avions que des soupçons, admit tristement Olvan. J'ai élevé la voix pour prévenir les dirigeants de toutes les nations, mais je ne peux les forcer à m'écouter.

– Surtout que nous ne savons pas encore exactement de quoi il retourne, ajouta Lenori.

Olvan hocha la tête.

– Nous recevons des nouvelles tous les jours. Nous ignorons encore si nous avons affaire au même Dévoreur qu'autrefois ou à l'un de ses descendants. Une seule chose est sûre : il est en mesure de lever très rapidement une immense et puissante armée. Il peut se montrer patient et subtil aussi bien que brusque et impitoyable. Ses disciples lui sont entièrement dévoués. Et il est prêt à détruire le monde civilisé pour régner sur ses cendres.

– Qu'attendez-vous de nous ? demanda Conor.

Olvan le dévisagea, avant de passer à Meilin puis à Rollan.

– Nos espions ont appris que le Dévoreur voulait s'emparer des talismans afin de retourner leurs pouvoirs contre nous. Il faut donc absolument qu'on les retrouve avant lui.

Rollan devint livide.

– Attendez... Vous voulez nous envoyer à la recherche des talismans des Bêtes Suprêmes ?

– Pas seuls, précisa Olvan. Tarik est notre meilleur combattant. Il saura vous guider et vous protéger. Je suis conscient de votre jeune âge, mais vos relations avec les Quatre Perdues nous confèrent un avantage inestimable. Et nous sommes convaincus qu'elles feront la différence au cours de la guerre. Le monde d'Erdas a besoin de vous.

Prenant conscience de l'ampleur de la tâche, Conor fut saisi de vertige. Olvan leur confiait une mission plus que dangereuse... Il les condamnait à une mort certaine.

Glissant la truffe au creux de sa paume, Briggan lui redonna courage. Conor tenta de se reprendre.

– On fera notre devoir, annonça-t-il d'une voix moins assurée qu'il ne l'aurait voulu.

– Parle pour toi ! s'exclama Rollan.

– Je parlais de Briggan et de moi, corrigea Conor en rougissant.

– Ah, d'accord.

Rollan se tourna face à Olvan.

– Je comprends pourquoi vous avez besoin de nous. La question est simple : qu'est-ce qu'on en retire, nous ?

– En tant que Capes-Vertes, c'est votre devoir, déclara calmement Lenori. Vous aurez la satisfaction de faire ce qu'il faut, de défendre le monde d'Erdas.

– Je ne suis pas un Cape-Verte, répliqua Rollan. Et je ne suis pas sûr de le devenir un jour.

– Jhi et moi, nous sommes avec vous, déclara Meilin en lui jetant un regard méprisant. C'est ce que je voulais : une chance d'intervenir. J'ai vu ce qui nous attend. Notre armée zhongaise, qui est pourtant l'une des meilleures d'Erdas, a été mise à genoux par nos ennemis. Il faut à tout prix les empêcher de prendre plus de pouvoir. Ce sera un honneur pour moi de rejoindre vos rangs afin de défendre le Zhong.

Conor posa sur Meilin un regard admiratif et un peu effaré. Il avait du mal à imaginer les périls qu'ils allaient affronter, mais, au moins, ils ne seraient pas seuls. Pour qui Rollan se prenait-il ? Quelle récompense attendait-il ?

Justement, le garçon soupira :

— Et si on ne veut pas être Cape Verte ?

— Quel égoïsme ! s'emporta Meilin. Le Zhong est en guerre, le reste de l'Erdas le sera bientôt. Espèce de lâche, tu espères peut-être recevoir une meilleure proposition de carrière ?

— Je n'ai jamais reçu de proposition d'aucune sorte avant l'arrivée d'Essix, répliqua Rollan. Les Capes-Vertes ne s'intéressent à moi que pour mon faucon. Il y a près d'ici une ville pleine d'orphelins dont Olvan ne s'est jamais préoccupé. Pourquoi les Capes-Vertes ne se soucient-ils que des Tatoués ? Et qui les a chargés de veiller sur les affaires des Bêtes Suprêmes et de leurs talismans ? Peut-être que, contrairement à toi, je n'apprécie pas de me retrouver piégé dans une situation que je ne comprends pas. Je veux savoir exactement pour qui je travaille et pourquoi !

Olvan échangea un regard avec Tarik et Lenori. Il se leva lentement, s'approcha de Rollan et se posta devant lui, le dominant de toute sa stature. Il déclara alors d'une voix posée :

– Il me semble parfaitement normal que tu réfléchisses avant de prendre une décision d'une telle importance. J'espère que le temps passé au sein de notre communauté dissipera tes doutes et te convaincra de notre sincérité. Nous faisons simplement notre devoir, car nous savons que, comme les Bêtes Suprêmes, nous sommes la dernière ligne de défense.

– Et nos gouvernements, alors ? riposta Rollan. Le premier ministre et les autres ? Que font-ils ?

Olvan prit un air sceptique.

– Ils font ce qu'ils peuvent. Ils administrent. Ils promulguent des lois et les font appliquer. Ils gèrent le commerce et, à l'occasion, se chamaillent. Mais ce ne sont que bavardages et querelles d'humains. Nous avons la chance unique de voir au-delà des préoccupations des simples hommes. La chance d'avoir chacun un animal totem. C'est

pour cela que nous mettrons tout en œuvre pour protéger le monde d'Erdas.

Rollan serra les lèvres.

– Je ne suis pas fou. Je ne tiens pas à ce que le
monde devienne un champ de ruines... Et... et si
je ne suis pas prêt à devenir Cape-Verte, mais que
j'accepte de vous aider quand même?

– C'est possible. Nous travaillons souvent avec
des Tatoués qui n'ont pas pris la cape verte, affirma
Olvan. En général, nous ne leur confions pas nos
secrets, mais en ces circonstances extraordinaires,
nous pourrions faire une exception.

– La nuit porte conseil, rétorqua Rollan. Je vous
dirai demain.

Conor détourna la tête, les yeux clos. Peu
importe qui serait à ses côtés, dès le lendemain, il
s'aventurerait dans la nature pour pourchasser une
légende. Il se pencha à l'oreille de son loup pour
murmurer:

– Dans quel pétrin on s'est fourrés, hein?

Rêve

Meilin se promenait à travers un jardin parfaitement entretenu, une frêle ombrelle sur l'épaule. Elle traversa un pont de bois enjambant un ruisseau. Des carpes ornementales décrivaient des cercles paresseux dans l'eau, faisant scintiller leurs écailles rouges, oranges, jaunes et blanches entre les pétales violets des nénuphars.

Les arbres lui cachaient la maison, mais Meilin avait reconnu le jardin de son grand-père Xao. Elle avait passé toute son enfance à en arpenter les allées, baignées par les parfums des fleurs.

Voyant un panda venir vers elle, Meilin fronça les sourcils. À part les oiseaux perchés dans les branches et les poissons des bassins, il n'y avait jamais eu d'animaux dans ce jardin.

Le panda la rejoignit sur le pont et se dressa sur ses pattes arrière.

– Le Zhong te manque, dit-il d'une voix féminine et musicale.

Cependant Meilin ne fut pas surprise de l'entendre parler.

– Et pourquoi mon pays me manquerait-il donc ?

Le panda ne répondit pas, mais brusquement la jeune fille se souvint. Lenori était venue la chercher et l'avait emmenée. Alors que son père affrontait une horde d'ennemis déchaînés, elle avait fui le Zhong pour l'autre bout du monde : l'Amaya, un continent sauvage.

Comment s'était-elle retrouvée dans ce jardin ? Elle n'y était pas vraiment, c'était un rêve.

Meilin regarda le panda avec attention.

– C'est toi, Jhi?

L'animal hocha la tête en disant:

– Je suis désolée de te décevoir.

– Mais non, tu..., commença-t-elle sans achever sa phrase.

Elle soupira.

– Nous sommes en guerre. J'aurais espéré un animal qui m'aiderait au combat. Je t'aime bien, mais... mon pays, mon père sont en danger.

– Je veux t'aider aussi. Laisse-moi une chance. Je te prouverai que je peux t'être plus utile que tu ne le crois.

– Lenori m'a dit que tu avais des dons de soigneuse. On te surnomme la Faiseuse de Paix, la Gardienne de la Santé.

– Entre autres. Meilin, écoute-moi bien. Tu devrais rentrer. Ce n'est pas un temps pour se promener dehors.

La jeune fille leva la tête et n'aperçut que quelques nuages fins et blancs dans le ciel. Le soleil brillait.

– Il fait beau, pourtant.

– Tu ne devrais pas être ici, affirma le panda.

Meilin hésita, réprimant un frisson. Elle parcourut les environs du regard, cherchant un éventuel danger.

– Ferme les yeux, insista Jhi. Ignore ce que tu vois, ce n'est qu'une illusion. Fais attention.

La jeune fille ferma les paupières. Faire attention à quoi? Elle avait la chair de poule. Oui, maintenant qu'elle y pensait, elle avait très froid. Elle était trempée. Elle croisa les bras, grelottante.

Lorsqu'elle rouvrit les yeux, autour d'elle le jardin paraissait toujours aussi serein. Le panda la fixait.

– Je gèle, avoua-t-elle.

– Tu ne devrais pas être ici, répéta Jhi.

Meilin tourna les talons et partit à toutes jambes sur le sentier. Même si le temps demeurait radieux, elle tremblait de froid. Elle tourna et tourna encore dans les allées avant de parvenir à la porte. En quittant le jardin, elle réussirait peut-être à sortir de ce rêve.

Elle aperçut le portail au loin. Perturbée par ce froid glacial qu'elle ressentait, Meilin jetait des coups d'œil apeurés en tous sens, mais le jardin semblait calme. Lorsqu'elle atteignit la porte, elle la trouva fermée. Elle actionna la poignée, s'appuya contre le battant, en vain.

Meilin s'interrompit un instant. C'était un rêve. Il lui suffisait peut-être de s'imaginer qu'elle était plus forte que la porte. Elle recula de quelques pas, puis baissa la tête et chargea.

L'impact lui parut terriblement réel. Elle heurta le bois de l'épaule et tomba en arrière. Elle se réveilla alors en sursaut et découvrit une scène étrange. Il faisait nuit, la pluie trempait sa chemise de nuit. Distinguant la lune derrière les nuages, elle supposa qu'elle était sur un toit surplombant des remparts. La tour du Couchant! Que faisait-elle perchée là-haut au beau milieu de la nuit sous une pluie battante?

Glacée et dégoulinante, Meilin se releva tant bien que mal. Elle se trouvait devant une épaisse porte en bois. Elle actionna la poignée. Verrouillée. Elle se fit mal à l'épaule en essayant de l'enfoncer.

C'était sa troisième crise de somnambulisme depuis qu'elle avait fait apparaître Jhi. Elle n'avait jamais rêvé ainsi auparavant. Les fois précédentes, elle s'était réveillée dans des endroits improbables, en train de faire des choses bizarres. Mais, là, c'était encore plus étrange.

Elle tenta à nouveau d'ouvrir la porte. Impossible. L'entendrait-on si elle criait? Ou si elle cognait contre le battant?

Quand elle avait parlé à Lenori de son somnambulisme, celle-ci lui avait expliqué que chacun réagissait de façon différente à l'association avec un animal totem. Le plus souvent les gens faisaient de terribles cauchemars, ou souffraient de sautes d'humeur, de crises d'angoisse. Ou même d'urticaire. On avait observé toutes sortes d'effets secondaires. Son somnambulisme n'était pas si surprenant.

Mais c'était ridicule! Elle claquait des dents. Elle allait mourir de froid!

Meilin hurla en tambourinant contre la porte, sans parvenir à faire beaucoup de bruit. Le vent s'était levé, la glaçant jusqu'aux os. Elle sautillait sur place en agitant les bras pour se réchauffer.

C'est alors qu'elle entendit qu'on faisait coulisser le loquet. La porte s'ouvrit.

Il n'y avait pas de lumière de l'autre côté.

– Hé ho ! fit-elle doucement, serrant les poings, hésitant à franchir le seuil pour s'enfoncer dans l'obscurité.

La pluie continuait à lui fouetter le dos.

Un éclair, le premier depuis qu'elle s'était réveillée, lui montra brièvement une silhouette noir et blanc.

– Jhi ?

Le tonnerre gronda. Il faisait à nouveau noir.

– C'est toi ?

Le panda demeura silencieux. Meilin se sentit idiote d'avoir espéré une réponse.

Elle s'introduisit à l'intérieur, referma la porte derrière elle et s'agenouilla auprès de l'animal. Elle le prit dans ses bras. Jhi était chaude, douce, parfaite.

Meilin la serra contre elle longuement, le visage enfoui dans son épaisse fourrure, inspirant son odeur rassurante.

– Je me suis encore levée dans mon sommeil, chuchota-t-elle. J'étais en danger. Merci d'être venue à mon secours.

Le panda ne répondit pas, mais elle eut l'impression qu'il la comprenait. Meilin se releva et posa la main contre le mur pour se diriger à tâtons dans l'obscurité.

– Allez, au lit.

Gar

A béké! cria Shane. Abéké, où es-tu?

La jeune fille resta immobile, perchée dans son arbre, un sourire victorieux aux lèvres. Uraza était juchée sur une branche non loin d'elle.

Shane se rapprochait de leur cachette sans les voir.

– Arrête de jouer ! Nous avons des visiteurs importants. Je t'avais pourtant prévenue. Ils sont là ! Il ne faut pas les faire attendre.

Depuis que leur bateau avait accosté cette île, Shane n'avait cessé de lui parler de ces « visiteurs importants ». Il avait l'air très impressionné.

Par bien des aspects, Shane était le premier véritable ami qu'Abéké ait jamais eu. Non seulement il lui avait sauvé la vie, mais il l'aidait à s'entraîner, il prenait soin d'elle, il la faisait rire. Il admirait son don pour la chasse, sa force, sa façon d'avancer furtivement, qualités dont elle était la plus fière. Elle ne s'était jamais sentie aussi acceptée et reconnue, sauf par sa mère.

Pourtant, elle se posait des questions au sujet des gens pour qui il travaillait.

Aucun ne portait la cape verte, néanmoins ils semblaient très organisés. Ils possédaient des navires, ce grand bastion sur l'île, des bataillons de combattants bien entraînés. Et ils avaient tous un animal totem. Qui étaient-ils ? Et pourquoi Uraza était-elle aussi agitée en leur présence ?

Ces derniers temps, Abéké n'osait même plus poser de questions à Shane, tant elle craignait ses réponses.

Mais ce n'était pas pour cela qu'elle se cachait.

– Très bien, soupira le garçon. Tu as fait d'énormes progrès, je l'avoue. Même sur cette île minuscule, Uraza et toi, vous pourriez m'échapper aussi longtemps que vous le souhaitez.

– Je voulais juste te l'entendre dire, répliqua Abéké.

– Franchement, tu as mal choisi ton moment ! s'emporta-t-il.

Abéké descendit de son arbre, Uraza la rejoignit d'un bond.

– Non, tu as capitulé, j'ai donc choisi pile le bon moment.

– Uraza et toi, vous formez une bonne équipe, maintenant, affirma le garçon. Nos visiteurs vont être contents.

– Ils sont vraiment là ? demanda Abéké, soupçonnant que Shane lui avait menti pour la faire sortir de sa cachette.

– Oui, ils nous attendent.

Elle était nerveuse et espérait que ça ne se voyait pas trop.

– Allons-y.

Ils prirent la direction du bâtiment fortifié.

– Tu devrais mettre Uraza à l'état passif, lui conseilla-t-il.

– Ils ne veulent pas la voir aussi ? s'étonna Abéké.

– Cela leur prouvera que tu es douée, affirma le garçon. Tu es jeune, et pourtant, tu maîtrises déjà cette technique. Et c'est également une marque de respect. Certains animaux totems ne s'entendent pas très bien avec les autres. Si tu gardes Uraza à tes côtés, ils seront obligés de passer leurs totems à l'état passif, c'est malpoli.

Elle comprenait, néanmoins elle ne voyait pas pourquoi elle devait faire disparaître son animal, si c'était ceux des autres qui étaient agressifs. Comme ces visiteurs semblaient très importants pour Shane, elle préféra ne pas discuter. Elle tendit le bras et appela sa panthère. En un éclair, celle-ci se changea en tatoo.

Ils n'étaient pas loin du bastion. Ils franchirent l'énorme portail de fer, puis Shane conduisit Abéké dans le bâtiment principal. Une fois à l'intérieur, ils pénétrèrent dans la grande salle. Deux gardes armés qu'elle ne connaissait pas en surveillaient l'entrée. Ils s'inclinèrent devant Shane et le laissèrent passer.

Les visiteurs étaient installés au fond de l'immense salle aux murs de pierre. Un homme à l'automne de sa vie était assis sur un trône. Il avait les tempes grisonnantes, un visage anguleux au menton proéminent. Une couronne reposait sur sa tête, sorte de serpent de métal mordant sa propre queue. Sous ses épais sourcils, ses yeux sombres fixaient Abéké avec attention.

Au pied du trône était couché un énorme crocodile. La jeune fille n'aurait jamais cru qu'il en existait d'aussi énormes. De la tête à la queue, il était aussi long que cinq hommes mis bout à bout.

– C'est un roi ? murmura-t-elle à l'oreille de Shane.

– Oui, lui confirma-t-il, alors agis en conséquence.

D'un côté du roi, une vieille femme emmaillotée de grossiers chiffons était ratatinée sur un tabouret. Un filet de bave pendait de ses lèvres sèches. De l'autre côté se tenait Zerif, habillé de façon bien plus élégante que la dernière fois qu'ils s'étaient croisés, les cheveux plaqués en arrière.

– Zerif! s'exclama Abéké.

Elle avait été tellement impressionnée par le roi et son crocodile qu'elle n'avait pas reconnu immédiatement son ancien protecteur.

Il lui adressa un signe de tête poli.

– Je t'avais bien dit qu'on se retrouverait.

Il désigna alors le trône.

– J'ai l'honneur de te présenter le général Gar, roi des Territoires Perdus. Sire, voici Abéké, qui a fait apparaître Uraza.

– Bel exploit! commenta le roi.

Sa voix en imposait. Elle n'était pas particulièrement grave, mais, comme son visage, elle dégageait une impression de force. Il était accoutumé à donner des ordres.

– C'est votre crocodile? s'enquit Abéké.

– Tout à fait, confirma le général Gar. Un crocodile marin, qui vient du Stetriol.

La jeune fille fronça les sourcils. Le monde d'Erdas comprenait, à sa connaissance, quatre continents et aucun ne portait ce nom. Elle frissonna en contemplant l'animal. Elle avait entendu dire qu'une seule personne avait pour totem un crocodile marin : le Dévoreur.

– À quoi penses-tu, Abéké ? demanda le général. Explique-nous, n'aie pas peur.

– C'est juste que...

Abéké hésitait.

– ... C'est rare d'avoir un crocodile aussi gros comme animal totem...

– En fait, le seul dont tu aies entendu parler est célèbre, n'est-ce pas ? fit le général avec un sourire entendu. Les contes pour enfants racontent que le Dévoreur aurait eu pour animal totem un croco-dile marin. Mais il est mort il y a bien longtemps. Je sais que ce n'est pas courant dans les territoires d'Erdas, mais au Stetriol cela n'étonne personne. Cela arrive parfois.

Abéké regarda Shane, puis Zerif. Ils avaient l'air sereins.

– D'accord, murmura-t-elle.

– C'est vrai, Abéké, intervint Shane. On n'évoque jamais le Stetriol dans aucun livre, mais ce continent existe. D'ailleurs, j'y suis né.

– Il a raison, renchérit Zerif. Les Capes-Vertes ont toujours ignoré délibérément le Stetriol. Pour une raison simple : ils y ont commis des crimes horribles...

Abéké dévisagea alors Zerif.

– Pourtant vous m'avez dit que vous travailliez avec eux...

– Oui, parfois. Certains sont tout à fait recommandables. D'autres cherchent à dominer le monde. Cette organisation souffre de la corruption depuis très longtemps, c'est un vrai poison. Écoute, personne ne connaît mieux le Dévoreur que les habitants du Stetriol. C'est le premier continent qu'il a conquis à l'époque. Nous étions heureux que les Capes-Vertes nous libèrent de sa tyrannie, jusqu'à ce qu'ils se retournent contre nous. Les femmes, les enfants... ils ont voulu exterminer tout le monde, comme si nous étions responsables des agissements du Dévoreur. Seuls ont survécu ceux qui ont pu se cacher.

Abéké ne pouvait détourner les yeux, captivée par le regard sombre de Zerif, qui poursuivit :

– Honteux de cette période de leur histoire, les Capes-Vertes ont effacé des livres et des cartes toute trace de l'existence du Stetriol... Ils y sont presque parvenus. Mais tous les habitants du Stetriol n'étaient pas morts, et ces survivants ont eu des descendants. Le général Gar est leur roi.

Abéké jeta un regard interloqué à Shane. Ces révélations étaient surprenantes, mais plausibles.

– Il est bien normal que cela t'étonne, reprit le général. Tu t'imagines peut-être que tu es entourée d'ennemis, puisque c'est ainsi que les Capes-Vertes qualifient tous ceux qui ne sont pas des leurs. Mais rien ne saurait être plus éloigné de la vérité.

En fait, Abéké n'avait jamais rencontré d'autre Cape-Verte que Chinwe. Elle lui avait toujours semblé un peu mystérieuse, même si elle s'impliquait vraiment dans la vie du village. Dans les contes, les Capes-Vertes avaient toujours le beau rôle. Forcément, si c'était eux qui les avaient écrits...

Le général s'agita sur son trône.

– Cette guerre est finie depuis longtemps. Nous ne haïssons pas les Capes-Vertes. Ceux qui ont massacré nos ancêtres sont morts et enterrés. Seulement, nous en avons gardé une certaine méfiance envers eux. Ils ont essayé de nous exterminer une fois, nous craignons qu'ils ne recommencent. Voilà pourquoi, depuis des siècles, nous avons préféré nous passer de Nectar et subir les souffrances qui peuvent survenir lorsque le lien avec le totem se crée sans son aide.

Abéké se tourna à nouveau vers Shane.

– Quelle horreur ! Alors tu as fait apparaître...

– ... mon animal sans Nectar, confirma le garçon. J'ai eu de la chance, cela ne s'est pas trop mal passé. Hélas, ce n'est pas le cas de tous mes amis ni de tous les membres de ma famille.

Abéké constata avec stupeur que Shane avait les larmes aux yeux. Elle ne l'avait jamais vu aussi vulnérable.

– Nous ne voulons aucun mal aux Capes-Vertes, affirma le général Gar. Ni aux autres continents d'Erdas. Nous voulons juste épargner à notre peuple les effets secondaires de l'association au totem. Le problème, c'est que les Capes-Vertes ont l'exclusivité du Nectar et ils s'en servent pour contrôler les habitants d'Erdas. Ils devraient faire en sorte qu'il soit accessible à tous.

— Mais ils sont prêts à partager, objecta Abéké, qui pensait à Chinwe.

— Peut-être, concéda le général, mais seulement à leurs conditions. En retour, ils veulent conserver la mainmise sur tout.

— Ça ne semble pas très juste, en effet, admit Abéké d'un ton hésitant.

— Mais on ne peut pas prendre le risque de le leur demander directement, intervint Shane. S'ils apprennent que des habitants du Stetriol ont survécu, ils risquent de nous attaquer.

— Nous avons un plan pour leur faire entendre raison, enchaîna Zerif. Savais-tu que chaque Bête Suprême possède un talisman ?

— Je crois... On en parlait dans les histoires que ma mère me racontait, répondit Abéké.

— Les talismans recèlent des pouvoirs qui peuvent être utilisés par les Tatoués, expliqua Zerif. Et les Capes-Vertes sont à leur recherche. Ils veulent se les approprier comme ils se sont approprié le Nectar.

— Nous avons l'intention de les trouver avant eux, annonça le général Gar. Ainsi, les Capes-Vertes seront obligés de nous écouter. De plus, au cas où ils essaieraient à nouveau de rayer le Stetriol de la carte, ces talismans nous protégeront. Accepteriez-vous, Uraza et toi, de nous aider à les obtenir ?

La jeune fille ne comprenait pas.

– Moi ? Mais comment ? Je n'y connais rien... À moins que... vous croyez qu'Uraza en a un ?

– Celui d'Uraza a disparu lorsqu'elle a été tuée, comme ceux des trois autres Bêtes Perdues, l'informa Zerif. Personne ne sait ce qu'ils sont devenus. Drina, la sœur de Shane, enquête à ce sujet.

– Ce que nous attendons de toi, ce ne sont pas des informations, corrigea le général, avant de désigner la vieille femme sur le tabouret. Pour cela, nous avons Yumaris. Son animal totem est un ver de terre. Elle s'est détachée de la vie quotidienne pour se concentrer sur ses visions. C'est grâce à elle que Zerif est arrivé jusqu'à toi. Elle a récemment localisé un des talismans en Amaya. Je voudrais que tu accompagnes Zerif et Shane pour le trouver.

– Uraza et toi, vous pouvez rétablir l'équilibre du monde, affirma Zerif avec ferveur. Rejoindre nos rangs pour protéger notre terre et nous aider à rendre le Nectar accessible à tous.

Abéké fronça les sourcils. Elle avait confiance en Shane, mais comment savoir si ces beaux discours étaient vrais ?

– Et ces hommes qui fabriquent des monstres ? demanda-t-elle.

Le général Gar hocha la tête.

– Shane m'a informé de cet incident regrettable. Ils ne sont pas des nôtres. Ils mènent des expériences afin de créer une formule qui remplace le Nectar. Je désapprouve leurs méthodes.

– Nous avons envoyé quelqu'un pour leur ordonner de poursuivre leurs expériences dangereuses ailleurs, affirma Zerif.

Abéké acquiesça. La cause du général Gar paraissait juste. Tout le monde devrait pouvoir vivre en paix dans son pays. Le général, Zerif et Shane la traitaient avec respect. Ils avaient déployé d'énormes efforts pour venir la chercher et l'entraîner. Peut-être ses qualités de chasseuse les aideraient-elles à obtenir quelques talismans.

Shane lui prit la main.

– Ça fait beaucoup d'information à digérer d'un seul coup. Nous te demandons de t'impliquer dans nos affaires, d'affronter des problèmes qui ne sont pas les tiens. Prends le temps de réfléchir, si tu veux.

Abéké secoua la tête. Voilà qu'un roi lui demandait son aide, aux côtés de l'homme auquel son père l'avait confiée et de son meilleur ami au monde. Elle pourrait chercher davantage de renseignements sur cette histoire plus tard. En attendant, elle ferait tout son possible pour eux.

Abéké serra la main de Shane dans la sienne.

– Vous pouvez compter sur moi. Je vous aiderai à trouver les talismans.

Duroc City

Quatre chevaux trottaient sur une piste à demi effacée, bordée de buissons. Seul un long plateau, au loin, donnait quelque relief au terrain sec et rocailleux. Rollan fermait la marche. Il était monté à cheval pour la première fois une semaine plus tôt. Au bout de quelques jours en selle, les douleurs commençaient à s'estomper, il était un peu plus à l'aise sur sa monture. Il s'agissait de chevaux de bataille, élevés par les Capes-Vertes non seulement pour leur puissance et leur endurance, mais aussi pour leur loyauté et leur intelligence. Rollan supposait que c'était un atout d'avoir des chevaux dressés par des experts des animaux.

Conor était en tête, Meilin derrière lui, puis venait Tarik. Ils portaient tous la cape verte. Quant à Rollan, Olvan lui en avait fourni une grise.

Le commandant des Capes-Vertes lui avait proposé un marché.

S'il les aidait à trouver le premier talisman, ils lui fourniraient assez d'argent pour vivre un an, et il serait assuré de l'amitié des Capes-Vertes, ce qui signifiait que le gîte lui serait offert dans tous leurs bastions et, point capital aux yeux de Rollan, également le couvert.

Ensuite, il n'aurait rien de plus jusqu'à ce que tous les talismans aient été découverts, auquel cas les Capes-Vertes lui céderaient un manoir et un magot qui lui permettrait de vivre cinq vies. Olvan avait précisé qu'il restait libre de renoncer à ses récompenses à n'importe quel moment pour prendre la cape verte à la place.

Comme le sentier grimpait, Tarik fit passer sa monture au pas, et les autres l'imitèrent. Au-dessus de leurs têtes, Essix poussa un cri et vint se percher sur l'épaule de Rollan. Meilin portait Jhi en tatoo sur le dos de sa main, la loutre de Tarik était blottie derrière lui sur sa selle. Quant à Briggan, il trottinait inlassablement au côté de Conor.

Arrivé au sommet, Rollan découvrit un hameau construit de bric et de broc. Quelques rues de terre battue étaient bordées de masures en torchis. Une poignée d'habitants s'affairaient autour de chariots de fortune, au milieu de chevaux et de chiens. Même si le village fourmillait d'activité, cela ne ressemblait en rien à ce que Rollan avait pu voir à Concorba.

Les bâtiments lui semblaient minuscules et fort délabrés. Le muret qui entourait l'ensemble était simplement fait de pierres empilées, ce qui lui parut franchement misérable.

– Bienvenue à Duroc City, annonça Tarik.

– Cailloubled, tu veux dire ! s'esclaffa Rollan.

– On l'appelle également Sanabajari, poursuivit le Cape-Verte, mais les visiteurs préfèrent généralement son surnom. Ici, dans l'ouest sauvage de l'Amaya, les villes sont souvent petites, car rares sont ceux qui osent s'aventurer loin des zones les plus civilisées du continent. Les gens qui y vivent ont une constitution robuste et un fort caractère. Il serait donc plus sage d'éviter ce petit ton moqueur.

– Je comprends pourquoi on appelle l'Amaya le Nouveau Continent ! s'exclama Meilin. Aucune région du Zhong n'est aussi... rustre.

– Le Zhong est aussi nommé le Territoire des Murs, répliqua Tarik. À l'intérieur de l'enceinte, le pays est très développé et bien entretenu, mais au-delà du Grand Mur, j'ai visité des régions en comparaison desquelles Duroc City paraît raffinée.

– C'est ici que nous allons trouver l'ours et le raton laveur ? s'enquit Conor.

– Si Lenori et Olvan ont bien interprété la vision, oui, confirma Tarik. Barlow et Monty, deux anciens Capes-Vertes de la tour du Couchant, ont rompu leurs vœux pour devenir aventuriers. Ils ont passé les quinze dernières années à explorer l'ouest amayain. Personne ne peut se vanter de connaître aussi bien le continent qu'eux. Je ne les connais pas personnellement, mais ils ont la réputation d'être des spécialistes de la haute montagne. Le totem de Barlow est un ours, celui de Monty, un raton laveur. Peut-être ont-ils croisé Arax au cours de leurs randonnées. C'est ce que nous espérons, en tout cas.

– Comment savez-vous qu'ils sont là? s'étonna Rollan.

– Je n'en suis pas sûr, admit Tarik. Les Capes-Vertes s'efforcent de rester en contact, même lorsqu'ils ont quitté l'ordre. Aux dernières nouvelles, Barlow et Monty avaient établi un comptoir d'échange ici, à Duroc City.

Ils descendirent une petite pente, se faufilèrent par une brèche dans le muret de pierre et pénétrèrent dans la ville. Rollan remarqua les regards froids que leur jetaient les gens, des hommes pour la plupart, barbus et robustes, sous leurs vêtements élimés. Ils fixaient surtout les Capes-Vertes.

Tarik s'arrêta devant la plus grande bâtisse de la ville. Une maison avec un étage, aux murs blancs de guingois et au toit de tuiles. Une galerie couverte en bois faisait le tour de l'établissement, et une pancarte annonçait: *Comptoir commercial*.

En un éclair, la loutre de Tarik se changea en tatoo.

— Dis à ton faucon de prendre son envol, conseilla-t-il à Rollan. Conor, laisse Briggan à l'extérieur.

— Essix..., commença Rollan, mais l'oiseau avait décollé avant même qu'il ait finit sa phrase.

— Tu peux garder les chevaux, s'il te plaît, Briggan ? demanda Conor.

Le loup renifla sa monture, puis s'assit à côté.

— Va y avoir de la bagarre ? demanda Rollan, qui portait un couteau à sa ceinture.

Ayant vécu dans la rue, il ne sortait jamais sans arme. Celle que les Capes-Vertes lui avaient fournie était sans conteste la plus belle qu'il ait jamais possédée : un vrai poignard, à la lame aiguisée, presque une épée. Et il en avait un plus petit dans sa botte.

— Peut-être..., avoua Tarik. Certains anciens Capes-Vertes sont rancuniers.

— Intéressant, murmura Rollan.

— On ferait bien d'enlever nos capes, alors, suggéra Conor.

– Jamais ! Ni par honte ni pour obtenir des faveurs. Nous devons être fiers de ce que nous sommes et de ce que nous représentons.

« Mais que représentez-vous vraiment ? » se demanda Rollan en voyant un groupe dévier de sa route afin de les éviter. Un homme plus âgé, tirant une mule bien chargée, s'arrêta pour les contempler, le poing sur la hanche. Des visages hésitants les observaient aux fenêtres des maisons voisines.

– Tout le monde nous observe, murmura Conor.

– Eh bien, nous allons leur donner quelque chose d'intéressant à regarder, déclara Tarik en entrant le premier dans le magasin.

Il avait son épée en bandoulière sur le dos. Meilin avait emporté son bâton. Rollan nota que Conor avait laissé sa hache accrochée à sa selle.

À leur arrivée, tout se figea dans la boutique. Les gens qui mangeaient au comptoir restèrent la fourchette en l'air, ceux qui faisaient leurs courses s'immobilisèrent.

Le silence se fit.

Rollan remarqua qu'il y avait de nombreuses peaux d'animaux à vendre, du matériel de randonnée ainsi que des rangées et des rangées de haches, épées et armes diverses.

Tarik s'approcha du comptoir. Plusieurs clients se retournèrent vers lui, leurs regards variaient de soupçonneux à franchement hostiles. Derrière le comptoir, un homme au crâne clairsemé et à l'air mauvais le toisait.

– Des Capes-Vertes ? grogna-t-il. En mission officielle ou simplement de passage dans la région ?

– Je suis à la recherche de deux anciens collègues, Barlow et Monty, répondit Tarik.

Le commerçant parut perplexe, puis il hocha la tête.

– Ça fait bien longtemps que ces deux-là ne portent plus de vert. Et je ne les ai pas vus dans le coin ces derniers temps.

– Ah bon ? s'étonna Tarik. Pourtant ils sont toujours propriétaires du magasin, non ?

– Oui, et c'est le plus prospère des environs. Ils n'ont plus besoin de s'embêter à gérer le quotidien.

Rollan entendit du remue-ménage dans son dos. Il pivota pour apercevoir Essix qui venait de surgir

par la porte ouverte. Elle se posa sur son épaule.
Il la caressa du bout du doigt en gardant un sourire forcé aux lèvres comme s'il était tout à fait prévu qu'elle le rejoigne ainsi. Comme d'habitude, Essix avait décidé de prouver qu'elle allait où elle le voulait, quand elle le voulait, malgré ses ordres. Rollan agita la main.

– Continuez. Ne faites pas attention.

Tarik se retourna vers l'homme.

– À votre avis, ils repasseront quand ?

L'homme croisa les bras sur le comptoir.

– Ce sont les patrons. Ils ne me tiennent pas au courant de leur emploi du temps et je ne leur pose pas de questions. Selon la saison, ils peuvent s'absenter pendant des mois.

– Il ment ! laissa échapper Rollan.

Il le regretta aussitôt, mais c'était tellement évident qu'il n'avait pu se retenir. Avec Essix juchée sur son épaule, il était plus perspicace, plus alerte. Il interprétait facilement le comportement de l'homme : sa façon de se passer la langue sur les lèvres, de détourner les yeux au mauvais moment.

– Je suis d'accord, déclara tranquillement Tarik.

– Co-comment ça ? Vous voulez dire que je mens ? bafouilla le marchand.

Rollan sentit les hommes se raidir derrière lui.

– À quoi il joue, le gamin ? dit un grand gars à son voisin. À se trimballer comme ça avec un faucon gerfaut.

– Vos patrons n'ont aucune inquiétude à avoir, affirma Tarik.

Le tenancier reprit courage en entendant les murmures dans la salle.

– Merci de me rassurer, étranger. Écoutez, je ne sais pas d'où vous venez, mais dans le coin on n'aime pas tellement que les Capes-Vertes viennent fourrer le nez dans nos affaires.

Autour de lui, les clients acquiescèrent.

– ... C'est nos oignons...

– ... Ça nous regarde...

– Retournez boire votre Nectar !

Tarik s'écarta du comptoir. Il éleva la voix pour être entendu de tous :

– Je suis envoyé en mission par la tour du Couchant. Si quelqu'un veut m'en empêcher, qu'il approche.

Rollan remarqua qu'il n'avait pas saisi son épée, qu'il n'esquissait aucun geste menaçant. Mais il était grand, fort, et n'avait pas l'air de plaisanter. Les hommes qui avaient marmonné détournèrent les yeux.

– Je voulais être discret, reprit Tarik, apparemment ce n'est pas la manière de procéder par ici. Je dois voir Monty et Barlow pour raisons officielles. J'ai reçu des ordres d'en haut. Vous ne les aidez pas en vous mettant en travers de mon chemin. Nous reviendrons avec des renforts au besoin. Alors autant en finir au plus vite.

De nouveaux murmures accueillirent cette déclaration. L'homme plongea derrière le comptoir comme s'il voulait prendre quelque chose en dessous.

Rollan entendit des pas précipités.

– Il s'enfuit !

Alors que Tarik se penchait pour regarder derrière le comptoir, l'homme chauve surgit à l'autre bout, sauta par-dessus et ouvrit une fenêtre.

Rollan se lança à sa poursuite, Tarik voulut le suivre, mais des clients s'interposèrent.

Dans un éclair, Lumeo apparut et le Cape-Verte se mit à distribuer des coups de poing.

Essix s'envola par la fenêtre. Rollan sortit juste à temps pour voir le marchand filer derrière son magasin et grimper sur une pile de tonneaux afin d'atteindre le balcon de l'étage. Avant qu'il ait pu s'y hisser, le faucon descendit sur lui en piqué, toutes serres dehors, et lui griffa le bras. L'homme se laissa retomber à terre.

Il se mit à courir, mais s'arrêta net en se retrouvant face à Briggan. Il leva les bras en signe de reddition.

– OK. C'est bon. J'abandonne.

Conor apparut quelques secondes après son loup, juste au moment où Rollan rejoignait le marchand.

– Pourquoi avoir pris la fuite ? s'étonna-t-il.

Le loup s'approcha pour flairer l'homme, qui recula.

– J'ai eu trop souvent affaire aux Capes-Vertes à mon goût, répondit-il. Franchement, je ne suis pas à l'aise avec les loups. Surtout quand ils me reniflent comme ça. Vous pouvez le retenir ?

Briggan ne grognait pas, mais il était tout près, le poil hérissé.

– Pas si vite, intervint Rollan. Qui êtes-vous ?

L'homme laissa échapper un soupir résigné.

– J'ai omis de me présenter, désolé. Je m'appelle Monty.

Barlow et Monty

Dire que l'homme derrière le comptoir était justement l'un de ceux qu'ils recherchaient ! Il avait presque réussi à les berner !

Quand Meilin et Tarik les rejoignirent à l'arrière du magasin, le Cape-Verte avait un œil poché et la lèvre fendue. Devant leur insistance, Monty les conduisit à contrecœur au premier étage, en les prévenant que Barlow ne leur réserverait sûrement pas un bon accueil. Dans le couloir, un mouvement attira le regard de Conor. Il s'arrêta donc, tapi contre le mur, laissant les autres continuer sans lui. Aussitôt, il vit un petit museau masqué surgir dans un coin, puis disparaître aussi vite qu'il était apparu.

— Allez, sors de ta cachette, chuchota Conor.

Comme le raton laveur n'en faisait rien, le garçon s'approcha, mais l'animal s'était déjà volatilisé. Il était drôlement rapide.

Lorsque Conor rattrapa les autres, Monty frappait à une lourde porte tout au fond du couloir. Un homme aux épaules larges et aux épais favoris vint leur ouvrir. Il dépassait Tarik d'une tête. Avec ses cheveux hirsutes qui lui cachaient les yeux, il avait tout l'air d'un ours.

Il lança un regard furieux à son associé.

— Des Capes-Vertes ! Et tu les amènes ici ?

— Euh... ils ont insisté, bredouilla Monty.

— Ça ne m'étonne pas, marmonna l'autre en toisant les visiteurs.

Ses yeux s'attardèrent sur Conor.

– Voilà de vieilles recrues... Ils ont pris la cape il y a quoi ? Une semaine ?

Conor se redressa de toute sa taille dans un vain effort pour paraître plus âgé.

Monty étouffa un petit rire nerveux.

– Ils veulent nous parler.

Barlow fixa Tarik.

– Qu'est-ce que vous nous voulez ?

– Nous sommes à la recherche d'Arax, annonça Tarik de but en blanc.

– Arax ? s'esclaffa Monty. Vous avez perdu la tête ?

– Hélas, nous n'avons pas le choix, répliqua Tarik. Le Dévoreur veut les talismans. Il faut qu'on les trouve avant lui.

Barlow se redressa brusquement, le souffle court.

– Le Dévoreur ? Qu'est-ce que c'est que cette histoire ?

– Il est de retour. Comme il l'avait prédit, soupira Tarik. Ou tout du moins quelqu'un qui lui ressemble en tous points. Il a attaqué le Zhong et franchi le Grand Mur. Le sud du Nilo est également en guerre.

– C'est la meilleure, commenta Monty. Vous nous croyez assez bêtes pour avaler ces salades ?

– J'ai vu l'attaque qu'il a lancée sur le Zhong de mes propres yeux, affirma Meilin. Une immense armée a déferlé sur Jano Rion. Mon père est resté sur place pour défendre la ville.

Fronçant les sourcils, Barlow se tourna vers elle.

– Tu as quitté ton père ? Laisse-moi deviner : les Capes-Vertes sont venus te chercher ?

Elle acquiesça.

– Quand laisserez-vous enfin les enfants en paix ? s'emporta-t-il. Pourquoi les habiller et les armer comme des adultes ? Quelle honte !

– C'est une des raisons pour lesquelles il a quitté les Capes-Vertes, expliqua Monty. Écoutez, nous sommes vraiment désolés qu'il y ait la guerre là-bas, mais nous n'avons aucune idée de l'endroit où se trouve Arax, ni aucune autre Bête Suprême d'ailleurs. Alors restons-en là, si vous voulez bien.

Barlow toisa Rollan d'un regard inquiet.

– D'où sort ce gerfaut ?

– Devinez, répliqua le garçon.

Sur son épaule, Essix poussa un cri. En un éclair, le panda de Meilin apparut.

– Vous voulez nous faire une petite démonstration ? fit Barlow en serrant les poings. Mon ours est plus gros, je vous préviens.

– Calmez-vous un peu. Ce n'est pas un ours. Et il n'y a aucune menace dans son geste, expliqua Tarik d'un ton posé.

– C'est un panda ! s'écria soudain Monty, livide. Un panda aux yeux d'argent.

Il considéra Essix, affolé, avant de se tourner vers son associé.

– Si c'est une plaisanterie, elle est de mauvais goût, marmonna Barlow. Qu'est-ce que c'est que ce cirque ? Qui êtes-vous ?

– J'ai laissé Briggan à l'extérieur, intervint Conor, conscient que les animaux avaient fait grosse impression sur les deux aventuriers. Mais grâce à lui j'ai eu une vision, j'ai vu un ours et un raton laveur nous mener jusqu'à Arax. Olvan et Lenori ont supposé qu'il s'agissait de vous deux.

– Ils ont aperçu le bélier, je le sens, affirma Rollan.

Barlow avait toujours les sourcils froncés, mais il semblait moins agressif.

– J'aimerais bien voir ce loup.

– Tu ne vas quand même pas..., objecta Monty.

Son acolyte le coupa d'un geste.

– Je veux voir Briggan.

Lorsque Conor revint avec son animal, Barlow examina longuement Briggan, Jhi et Essix. Monty les observa également, tout en restant à bonne distance du loup.

– Si c'est un coup monté, c'est du beau travail, décréta finalement Barlow.

Il passa la main dans la fourrure de Briggan, épaté.

– Et Uraza? demanda Monty en fixant Tarik d'un air soupçonneux.

– Nous n'avons pas trouvé la fille qui l'a fait apparaître. L'ennemi nous a devancés.

Conor vit le raton laveur de Monty s'approcher de Briggan à petits pas hésitants, puis reculer brusquement dès que le loup tenta de le renifler.

Barlow s'assit.

– Vous voulez nous faire croire que la grande bataille a commencé?

Tarik hocha la tête.

– Les quatre Bêtes Perdues sont réapparues, le Dévoreur également, et il est déjà à l'œuvre... Tout ce que les Capes-Vertes redoutaient depuis des siècles.

Monty soupira.

– J'avais tellement espéré être mort et enterré quand ça arriverait. Je n'étais même pas convaincu que ça se produirait un jour, mais maintenant que je suis face à ces trois-là...

– Il faut qu'on fasse vite pour rassembler les talismans, reprit Tarik. Car l'ennemi œuvre dans le même but.

Barlow eut un reniflement méprisant.

– Il ne s'agit pas d'une simple course contre la montre. Vous croyez vraiment qu'Arax va vous donner son bélier de granit sans protester? Il ne l'a pas fait durant la dernière guerre. Ou alors vous comptez pouvoir le lui prendre? C'est mal le connaître. Surtout que vous n'avez jamais mis les pieds dans ces montagnes...

– Mais vous, oui, intervint Rollan.

– On a compris, siffla Monty. Ne fais pas le malin. On sait que tu vois clair en nous. Essix n'est pas surnommée la Clairvoyante pour rien.

C'était la première fois que Conor entendait ce surnom. Il lança un regard à Rollan en soufflant :

– La Clairvoyante ?

Celui-ci haussa les épaules, perplexe et agacé. Quelles autres informations sur leurs animaux totems les Capes-Vertes leur avaient-ils cachées ? Pourquoi ne leur avaient-ils pas dit tout ce qu'ils savaient ?

– Alors vous avez croisé Arax ? reprit Tarik.

Barlow poussa un soupir.

– Nous avons arpenté tout l'ouest amayain. Nous avons vu des choses que vous n'imaginez même pas. Des splendeurs... et des horreurs aussi. Un jour, haut dans les montagnes, Scrubber nous a montré des traces très étranges.

– Scrubber ? s'étonna Conor.

– Mon raton laveur, expliqua Monty.

– On aurait dit des empreintes de mouflon... mais énormes. Démesurées.

Il rapprocha ses deux mains de sorte à former un rond de la taille d'une assiette.

– Nous avons suivi la piste car les traces semblaient authentiques. Nous étions près des sommets, un coin désert.

– Et nous l'avons aperçu. Magnifique. Incroyable, intervint Monty.

– Majestueux, renchérit Barlow.

– Vous l'avez abordé ? s'enquit Tarik.

Barlow laissa échapper un petit rire.

– Nous étions déjà assez intimidés en l'observant à distance. Il a senti notre présence. Il a fait lever une petite bourrasque pour bien nous signifier qu'il était le chef. Mais, voyant qu'on reculait immédiatement, il a arrêté.

– Alors vous avez vraiment vu une Bête Suprême..., s'extasia Conor, admiratif.

Comme Briggan lui donnait un petit coup de museau dans la cuisse, il le caressa en rectifiant :

– De taille adulte, je veux dire.

Briggan continua à le pousser du museau. Conor savait qu'il avait commis un impair. Il espérait qu'il ne le paierait pas plus tard.

Monty jeta un regard au loup, puis se retourna vers le reste du groupe.

– Vous êtes en compagnie de légendes vivantes, les amis.

Barlow dévisagea Tarik.

– La haute montagne n'est pas un endroit recommandé pour les enfants. Ni même pour les randonneurs aguerris.

– Hélas ! nous devons prendre le risque, rétorqua Tarik. Et cela nous aiderait d'avoir des guides expérimentés comme vous.

Barlow s'esclaffa :

– Je comprends quelle est votre mission, mais, selon moi, les Capes-Vertes ont toujours profité des plus jeunes. Ils les persuadent de prendre la cape sans qu'ils sachent à quoi ils s'engagent. Je me sentais prêt à onze ans, et j'ai survécu, mais ça n'a pas été le cas de tous mes compagnons.

– Nous sommes dans une impasse, affirma Tarik. Nous n'obtiendrons pas ces talismans sans l'aide des Bêtes Suprêmes. Et si le Dévoreur les trouve avant nous, ce sera la fin de l'Erdas telle que nous la connaissons.

– Oui, mais...

Barlow soupira, contemplant tour à tour Conor, Meilin et Rollan.

– Vous autres, les jeunes, vous êtes loin d'imaginer ce qui vous attend. Cette mission nous dépasse, Monty et moi. J'imagine que Tarik en a vu et fait beaucoup, mais ça le dépasse aussi. Nous parlons de l'une des quinze Bêtes Suprêmes. Aussi vieille que le monde. Assez puissante pour raser cette ville. Aussi à l'aise au bord d'un précipice que vous au fond de votre lit.

Briggan s'avança pour se poster devant lui, les oreilles dressées, la tête haute.

Encouragé par un soudain sursaut d'assurance, Conor s'avança également.

– Vous oubliez qui nous avons à nos côtés. Ce sera à trois contre un.

Essix déploya les ailes et les agita à grand bruit.

– Vous possédez certains atouts, convint Barlow. Mais les Bêtes Perdues ne sont plus ce qu'elles étaient. Vous avez besoin de temps pour grandir, et vos animaux totems aussi. Face à Arax, vous comprendriez.

– Nous partirons à sa recherche avec ou sans vous, décréta Tarik. Sans vous, nos chances de réussir sont plus minces, mais nous essaierons quand même. Ce n'est pas pour rien que vous êtes apparus dans la vision de Conor.

Essix vint se percher sur l'épaule de Barlow. Briggan prit l'ourlet du pantalon de Conor dans sa gueule et tira. Jhi se dressa sur ses pattes arrière avec une grâce étonnante.

L'homme s'affaissa, les épaules voûtées. Il reprit la parole en pesant ses mots sans quitter les animaux des yeux :

– J'ai toujours su que la cape verte reviendrait me hanter. Je suis allé dans des endroits où nul homme n'avait jamais mis les pieds, pourtant, au fond de moi, tout au fond, je savais que la cape me retrouverait.

Monty lui jeta un regard surpris.

– Ah oui ?

– J'en ai bien peur, confirma Barlow. On ferait bien de préparer notre équipement de haute montagne.

Les corbeaux

Dans son enfance, Meilin avait parcouru le Zhong. Elle était allée jusqu'au Grand Mur au nord, à l'est, à l'ouest et au sud. Long de plusieurs milliers de kilomètres, il circonscrivait un territoire immense.

Cependant, elle n'était jamais passée de l'autre côté. Elle ne s'était jamais aventurée en terre sauvage.

Au fil des semaines, à mesure qu'ils avançaient en compagnie de Monty et Barlow, le paysage était devenu toujours plus impressionnant. La prairie, de plus en plus vallonnée, avait laissé place à de hautes collines, bientôt remplacées par d'immenses montagnes. De hautes cimes rocheuses semblaient griffer le ciel, de puissantes cascades tombaient au fond de gorges profondes.

Au pied des monts s'étendait une épaisse forêt et, dans le lointain, Meilin apercevait de temps à autre un lac scintillant, reflétant un pic enneigé.

Dans l'enceinte du Grand Mur, le Zhong était très civilisé, partout on avait ordonné, contraint la nature. Meilin avait visité des temples, des musées, des palais, des cités. Elle s'était promenée dans de splendides parcs et jardins. Elle avait vu l'eau domptée : canalisée pour irriguer des champs ou retenue derrière de grands barrages. Elle avait voyagé sur d'interminables routes, traversé des ponts gigantesques.

Ici, il s'agissait d'une splendeur d'un autre genre. Une beauté sauvage, indomptable, non maîtrisée qui surpassait tout ce qu'elle avait pu voir au Zhong. Aucun ouvrage humain, ni bâtiment ni canal, n'aurait pu rivaliser avec ces montagnes, ces cascades, ces torrents tumultueux...

Meilin ne fit pas part de ses réflexions aux autres. Elle n'était pas particulièrement proche de ses compagnons de voyage, et elle avait l'impression qu'admettre à voix haute la splendeur des lieux aurait été trahir son pays d'origine.

Malgré les paysages spectaculaires, la route lui paraissait longue. Le confort du palais, la chaleur de sa famille et le soutien de ses domestiques lui manquaient. Réticente à faire la conversation, elle préférait apprendre à connaître ses compagnons en les observant. C'était Tarik qu'elle admirait le plus. Avare de paroles, il faisait preuve d'une efficacité qui lui rappelait les meilleurs soldats de son père.

Monty, à l'inverse, ne cessait de jacasser. Il partageait blagues, anecdotes et souvenirs avec qui voulait bien l'écouter. Ça ne semblait pas déranger Barlow, qui chevauchait à ses côtés, ponctuant le bavardage incessant de son ami de petits rires et gloussements.

Conor passait beaucoup de temps en compagnie de Briggan. Il ne se contentait pas de lui parler ou de le caresser. Il ne craignait pas de se ridiculiser ou d'offenser son animal totem en chahutant avec lui comme s'il s'agissait d'un simple chien. Il lui lançait des bâtons et jouait même à chat avec lui ! Ils se baignaient ensemble dans les ruisseaux. Meilin devait admettre qu'ils paraissaient complices.

Rollan entretenait une relation beaucoup plus distante avec son faucon. Essix passait le plus clair de son temps à voler.

Meilin avait essayé de communiquer avec son panda. Après son aventure sur les toits, elle lui était reconnaissante de l'avoir secourue. Mais, très vite, leur relation était redevenue aussi inconsistante qu'avant.

Jhi était tellement docile ! Elle aimait s'amuser seule dans son coin et participait à peine quand Meilin lui proposait une partie de cache-cache, par exemple. Jhi l'écoutait, mais ne montrait que peu de réactions à ce qu'elle lui racontait. Quand le groupe était en marche, elle préférait rester à l'état de tatoo, Meilin respectait donc son choix.

Elle n'avait eu qu'une seule crise de som-nambulisme depuis le début du voyage. Elle s'était réveillée seule au milieu des bois. Jhi l'avait rejointe avant qu'elle ne panique et l'avait reconduite auprès des autres. Mais il leur avait quand même fallu vingt bonnes minutes de marche.

C'était arrivé quelques jours plus tôt. Monty et Barlow avaient beau affirmer qu'ils se rappro-chaient d'Arax, ils n'avaient pas encore trouvé une seule preuve de la présence du bélier. Ce matin, ils avaient traversé une large vallée et, maintenant, ils grimpaient à flanc de montagne, dans une forêt clairsemée. Les deux aventuriers chevauchaient en tête, Meilin venait juste derrière, avant les garçons, et Tarik fermait la marche.

Comme d'habitude, Monty discutait avec Barlow, évoquant leurs vieux souvenirs :

– Tu te souviens de la face nord des Montagnes Grises ? C'était un peu comme ici, des arbres telle-ment espacés qu'on aurait pu galoper entre. Et on est tombés sur ce refuge abandonné...

– Presque abandonné, corrigea Barlow.

Monty s'esclaffa :

– Ah oui ! Il y avait un gars tout seul. Avec combien de cochons ? Des centaines, non ? Il mangeait du bacon au petit déjeuner, des côtes de porc à midi et du jambon au dîner. Et il a refusé de nous en échanger un contre quoi que ce soit. Un vrai sanglier furieux, celui-là ! Je me demande s'il est toujours...

Soudain, Essix poussa un cri d'alerte. Barlow tira sur ses rênes. Monty se redressa sur sa selle, scrutant les environs.

Barlow leva une main en annonçant d'une voix forte :

– Nous ne vous voulons aucun mal. Nous ne faisons que passer.

De tous côtés, Meilin vit des dizaines d'hommes surgir de derrière les arbres. Armés de lances et d'arcs, ils avançaient d'un pas décidé comme s'ils chassaient une proie dangereuse. Ils portaient des pantalons de cuir et des capes de plumes noires. Certains avaient sur le visage des peintures noir et blanc, d'autres des masques de bois.

Le cœur de Meilin battait à tout rompre. Elle serra fort ses rênes dans sa main. Comment tous ces hommes avaient-ils réussi à les encercler sans un bruit ? Elle s'efforçait de garder son calme, se répétant que les batailles se gagnaient par la force de l'esprit et la stratégie. Néanmoins les Amayains avaient un énorme avantage tactique. Ils devaient être environ soixante-dix, peut-être plus, répartis tout autour d'eux. Ils étaient à pied, mais quelques-uns avaient déjà armé leur arc. Si les cavaliers essayaient de leur échapper au galop, ils ne s'en tireraient pas sans mal.

Trois guerriers s'approchèrent de Barlow. Celui du milieu porta le poing à sa poitrine.

– Je m'appelle Derawat.

L'ancien Cape-Verte l'imita.

– Barlow.

– Ces terres sont sous la protection des Corbeaux. Vous n'avez rien à faire ici.

– Nous ne faisons que passer, répéta Barlow. Nous ne restons pas, nous ne touchons à rien, nous sommes en route pour les sommets.

– Nous vous avons vus venir de loin.

– Nous ne nous cachons pas, répondit Barlow. Nous n'avons aucune mauvaise intention.

– Vous allez vous rendre et nous en jugerons, décréta Derawat.

En un instant, un immense grizzly apparut au côté de Barlow, une bête imposante au poil épais. Les Corbeaux reculèrent de plusieurs pas, serrant leurs armes dans leurs poings. L'ours se dressa de toute sa taille. Meïlin eut un pincement de jalousie, il était gigantesque comparé à Jhi.

– Nous ne nous rendrons pas, rétorqua Barlow d'un ton sec. Nous sommes libres de voyager. Nous ne vous avons causé aucun tort. Si vous persistez à nous chercher querelle, nous déciderons au combat qui est le plus fort.

Les trois chefs du groupe amayain se concertèrent, puis Derawat annonça le verdict :

– Vous allez choisir un champion et nous aussi. Il se battra selon nos règles. S'il l'emporte, vous passez ; s'il perd, vous êtes à nous.

– D'accord, répondit Barlow.

Son grizzly disparut aussitôt.

Un groupe de Corbeaux s'avança afin de les escorter. Tarik s'approcha de Barlow pour demander :

– Alors ?

– Si on perd, ils feront ce qu'ils veulent de nous. Ils pourront nous réduire en esclavage ou nous tuer.

– Comment se passe le combat ?

– Ça dépend, répondit Barlow en observant les guerriers amayains. Chez certains peuples, ce sont les humains qui s'affrontent ; chez d'autres, les totems. Ça peut être un combat à mort ou bien au premier qui déclare forfait. Je n'ai jamais eu affaire aux Corbeaux jusqu'ici.

– Manque de chance ! soupira Monty. La plupart des tribus amayaines sont justes, pacifiques, et même généreuses. On avait prévu notre itinéraire pour éviter de croiser les plus dangereuses et simplement longer le territoire des Corbeaux. Ils ont dû nous repérer quand on a traversé la vallée.

– Tout le monde est d'accord pour que ce soit moi qui combatte ? demanda Tarik.

– On ferait bien d'attendre avant de désigner notre champion. Parfois, les règles ou les armes imposées sont étranges, affirma Barlow. Pour relever un défi de force, je ne suis pas mauvais. En combat loyal entre totems, Jools est difficile à battre.

– Très bien, acquiesça Tarik. On verra, alors.

Les Amayains les conduisirent jusqu'à un petit groupe de huttes faites de peaux tendues sur des cadres de bois. Meilin remarqua qu'il y avait de nombreux feux de camp, tous éteints. Ils les menèrent dans la clairière au centre du village.

Derawat désigna un cercle de terre battue. Il s'approcha d'une cuve et se trempa les mains dans un liquide noir.

– Les deux combattants s'affrontent dans le cercle, avec leurs totems à l'état passif. Le premier à avoir porté dix coups l'emporte. Qu'ils soient forts ou pas, dix coups, et c'est la victoire. Je me bats pour les Corbeaux, à vous de désigner votre champion.

Barlow, Monty et Tarik se regroupèrent pour discuter à voix basse. Meilin hésitait à intervenir. Derawat était vif et sec, l'idéal pour le type de combat qu'il venait de décrire.

– C'est une question de vitesse et de précision, déclara Barlow. Ce ne sont pas mes points forts.

– Je pourrais m'en charger, proposa Monty.

– Laissez-moi faire, insista Tarik. Même sans l'aide de Lumeo, j'ai l'habitude du combat au corps-à-corps. Je sais esquiver les coups, je suis rapide et j'ai une bonne détente.

– OK, fit Barlow.

– Je vais l'affronter, annonça Meilin.

Les trois hommes eurent l'air si surpris qu'elle se sentit un peu vexée.

– Il est grand, tu sais, souligna Tarik, qui s'efforçait d'être diplomate.

– Je ne me porterais pas volontaire si je n'étais pas certaine de posséder les qualités nécessaires pour le vaincre. Je m'entraîne aux arts martiaux zhongais depuis l'enfance. C'est ma spécialité.

Les autres échangèrent des regards gênés. Tarik croisa les bras, les yeux plissés.

– Alors ? demanda Derawat.

– Un instant, fit Barlow.

Il se retourna avant de décréter :

– Hors de question, elle est bien trop jeune.

– Je m'en sortirai mieux qu'elle ! affirma Rollan. Moi, j'ai souvent eu à me bagarrer dans la vie.

– Meilin, reprit Tarik d'une voix douce, tu as sans doute raison, mais nous n'avons pas eu l'occasion de voir l'étendue de tes talents.

– Je pourrais vous faire une démonstration, mais je préfère le surprendre, répondit-elle tranquillement. Faites-moi confiance.

Un cri retentit dans le ciel et Essix vint se poser sur l'épaule de la jeune fille. Cette dernière se raidit. C'était la première fois que le faucon la touchait.

– Essix vote pour Meilin, traduisit Rollan, abasourdi.

L'intéressée regarda le rapace s'envoler, stupéfaite qu'il l'ait adoubée. Comment pouvait-il savoir à quel point elle était douée ? Elle n'avait même pas remarqué qu'il écoutait leur conversation.

Tarik esquissa un bref signe de tête.

– Je ne discuterai pas son choix. Notre liberté est entre tes mains, Meilin.

– Vous êtes sûrs que l'oiseau n'a pas voté contre elle, plutôt ? grommela Barlow.

– Non, je confirme l'interprétation de Rollan, déclara Tarik d'un ton ferme.

Barlow alla trouver Derawat.

– Notre champion sera Meilin, annonça-t-il en tendant le bras pour la désigner.

Comme la jeune fille s'avançait, le Corbeau s'étonna :

– C'est une ruse pour éviter le combat ? Seul le pire des lâches oserait se servir d'un enfant de cette façon !

Barlow échangea un regard avec Tarik, qui hocha à nouveau la tête.

– C'est notre champion, répéta Barlow d'une voix qui trahissait qu'il n'en était pas convaincu non plus. Nous ne cherchons pas à éviter quoi que ce soit. Affronte-la, tu verras.

Les yeux de Derawat étincelèrent.

– C'est une insulte ! Vous affirmez que le plus faible d'entre vous est capable de battre le meilleur des nôtres ! Je ne montrerai aucune pitié. Vous devrez vous soumettre à l'issue du combat de la même façon que si j'avais affronté un adversaire adulte.

– Que nous l'emportions ou que nous perdions, nous nous plierons à vos règles, gronda Barlow. En dix coups. Meilin est notre champion.

– C'est un combat sans gloire, cracha Derawat. Après je vous ferai souffrir deux fois plus pour réparer cette offense !

Barlow ne répondit rien, mais il jeta un regard éloquent à la jeune fille.

Une fois qu'on lui eut ôté sa cape, Derawat se rua sur la cuve et enduisit à nouveau ses articulations de liquide brunâtre. Meilin l'imita. Ce n'était ni froid ni chaud, simplement visqueux, un peu gras.

Les Corbeaux s'attroupèrent en silence autour du cercle de combat. Ils étaient plus de deux cents, tous forts et vaillants, jeunes et vieux, hommes et femmes. Meilin espérait qu'elle ne s'était pas trompée. Elle n'avait aucun moyen de jauger les capacités de son adversaire. Et s'il possédait l'agilité de maître Chu ? Alors elle perdrait en moins de temps qu'il ne faut pour le dire.

C'était visiblement un type de combat que ce peuple pratiquait fréquemment. Derawat avait la morphologie idéale. Il paraissait sûr de lui. Sa détente et sa force lui conféraient un avantage. S'il frappait fort, il l'enverrait à terre et n'aurait plus qu'à la rouer de coups.

Une fois dans le cercle, il la toisa d'un œil flamboyant.

– Les coups au bras au-dessous du coude ne comptent pas, dit-il en désignant ses avant-bras. Partout ailleurs, c'est un point. Si tu sors du cercle, tu as perdu. Pas de seconde chance. Dix coups. Mohayli va compter.

– Et moi aussi, intervint Barlow.

– Des questions ? demanda Derawat à Meilin. Vous pouvez encore choisir un autre champion.

La jeune fille le toisa. S'ils avaient eu le droit de combattre avec leur animal totem, il aurait mieux valu que Tarik prenne sa place. Lumeo lui permettait de se mouvoir et de sauter avec une aisance incroyable. Mais, sans les totems, elle était convaincue que, si Derawat la battait, c'est qu'il aurait battu tous les autres. Elle était obligée de gagner. Sa mission, son honneur, sa vie étaient en jeu.

– Pas de questions, répondit-elle.

Derawat serra les lèvres et recula pour se mettre en position de combat.

– Mohayli nous donnera le signal.

Meilin remua les bras, les jambes pour les délier un peu. Et si les maîtres qui l'avaient entraînée l'avaient laissée gagner ? Elle savait qu'ils retenaient parfois leurs coups, mais... si c'était plus souvent qu'elle ne le croyait ? Et si elle se ridiculisait devant tout le monde ?

Non ! Le doute était un poison, elle le chassa de son esprit.

Un Corbeau de petite taille leva la main, puis la baissa en criant :

– Combat !

– Allez, Meilin ! lui lança Conor.

C'était gentil, mais elle préférait éviter ce genre de distraction.

Derawat s'avança d'un pas léger, dansant, les muscles saillants. Elle se tenait prête, les poings levés, bien campée sur ses jambes. Il osa quelques feintes, mais elle ne flancha pas. Il se rapprocha pour l'inciter à attaquer, mais elle résista. Elle voulait d'abord le voir à l'œuvre.

Il finit par s'impatienter et tenta un coup de poing. Elle l'esquiva. Il recommença avec plus de vigueur, la forçant à se baisser et à pivoter pour éviter d'être touchée.

Il était rapide. Elle n'avait pas droit à l'erreur. Elle recula, recula jusqu'au bord du cercle, lui laissant croire qu'un coup bien placé l'en ferait sortir.

Derawat mordit à l'hameçon. C'est alors que Meilin lui donna un aperçu de son talent. Au lieu d'esquiver le coup, elle se pencha, se glissa sous son bras et le frappa trois fois à la cuisse – gauche-droite-gauche –, puis elle s'écarta avant qu'il puisse riposter.

– Trois, annonça Mohayli, visiblement surpris, en levant trois doigts en l'air.

Meilin entendit Conor et Rollan rire, ravis, mais elle ne prit pas le temps de savourer son succès. Elle devait rester concentrée.

Derawat examina sa jambe. La fille l'avait frappé à trois endroits différents pour laisser trois marques bien distinctes. Il la contemplait désormais avec davantage de respect et ne se mouvait plus avec la même agilité, car elle avait bien choisi ses cibles, afin de le gêner au maximum.

Il s'approcha prudemment, sur la défensive, prêt à esquiver l'attaque. Elle aurait préféré qu'il demeure sûr de lui, comme au début.

Il attaqua brusquement. À deux reprises, Meilin sentit son poing la frôler, elle bloqua le troisième coup et contre-attaqua dans les côtes, manquant de peu sa cible. Il s'écarta en sautillant, les poings levés.

Ses attaques suivantes furent plus contenues, presque hésitantes. Il restait prêt à se défendre. Meilin comprit alors qu'elle allait devoir déclencher l'offensive.

Elle déploya trois feintes subtiles et, alors qu'il se penchait pour éviter la dernière, elle lui envoya une série de coups vifs : estomac, estomac, cuisse, flanc, bloqué, estomac, bloqué, bloqué, genou. Puis, d'un saut périlleux, elle se posta à l'autre bout du cercle.

– Cinq pour Meilin, annonça Mohayli.

– Six, corrigea Derawat, les dents serrées.

Elle l'avait touché au genou et, en parant ses attaques, il avait mis ses poignets à rude épreuve. Comme il était plus fort qu'elle, elle savait qu'elle devait bien viser et frapper avec précision.

Tout en agitant la jambe pour faire passer la douleur, il contemplait Meilin, incrédule. Elle soutint son regard sans ciller. Et sans parader non plus pour ne pas l'humilier et susciter sa haine. Ignorant les spectateurs, elle restait en lisière du cercle tandis qu'il occupait le centre. Il secoua la tête et lui fit signe d'approcher.

Les mains basses, Meilin vint lentement vers lui. Lorsqu'il tenta un coup bas, elle l'évita et le frappa à deux reprises sous les côtes.

— Deux, annonça Mohayli. Ça fait onze coups pour la fille.

Alors que Meilin reculait, Derawat la salua d'un signe de tête, qu'elle lui rendit poliment.

Tarik, Barlow, Monty, Rollan et Conor l'entourèrent. Ils l'acclamèrent, laissant libre cours à leur joie ébahie. Leurs compliments lui réchauffèrent le cœur. Jusque-là seuls ses maîtres l'avaient vue combattre et jamais ils ne l'avaient félicitée aussi sincèrement.

Tarik lui posa la main sur l'épaule.

— Meilin, tu es surprenante. Dorénavant, j'hésiterai avant de douter de toi ou d'Essix. Nous avons de la chance de vous compter parmi nous.

Arax

Vingt-quatre heures à peine après leur départ du village des Corbeaux, Scrubber découvrit des empreintes gigantesques. Ils évoluaient à travers une nature sauvage, sans même un sentier à suivre. Les traces dans la boue séchée n'étaient pas récentes.

Tandis que les autres remontaient en selle afin de poursuivre leur chemin, Rollan demeura accroupi à côté des empreintes à les effleurer du doigt en essayant d'imaginer la taille d'Arax. Elles étaient largement plus grandes que celles des chevaux, la bête devait être énorme. Déjà un bélier de la taille d'un cheval, c'était impressionnant, mais encore plus grand...

– Tu viens ? le héla Conor, juché sur sa monture.

Rollan se redressa. Après avoir reniflé les traces, Briggan avait couru en tête du groupe au côté de Barlow tandis que Conor restait derrière.

– Tu as déjà croisé une bête de cette taille dans tes troupeaux ? demanda Rollan en rejoignant son cheval.

Conor s'esclaffa.

– On avait quelques beaux bestiaux, mais aucun qui laisse des empreintes de cette taille.

Rollan se mit en selle, puis jeta un dernier regard aux traces.

– Je ne suis pas très sûr d'avoir envie de me retrouver nez à nez avec cette créature.

Conor haussa les épaules.

– Il le faut, si on veut le talisman.

Et il lança sa monture au trot.

Rollan talonna la sienne pour chevaucher au côté de son ami.

– Le talisman est censé être un bélier de granit, n'est-ce pas ? Tout du moins selon Tarik.

– Oui, et ses pouvoirs devraient être en rapport avec ceux d'un bélier.

– Alors on n'a qu'à laisser Meilin s'en charger.

Conor éclata de rire.

– Ah oui, sacrée démonstration qu'elle nous a faite, là-bas !

– J'ai grandi dans la rue, au cœur d'une grande ville, reprit Rollan. J'ai assisté et participé à beaucoup de bagarres. Entre enfants, entre adultes. Mais je n'avais jamais vu personne se battre comme ça. Franchement pas.

– Elle est rapide comme l'éclair. Elle aurait le temps de me porter dix coups avant que je puisse lui en flanquer deux.

– Ouais, et de toute façon, elle les esquiverait, même pas la peine d'essayer. Je me demande ce qu'on fait ici.

– Oui, c'est la question que je me pose depuis le début, murmura Conor. Mais on a nos animaux.

Rollan leva les yeux vers le ciel. Essix n'était pas en vue.

– Enfin, toi, oui. Tu es proche de Briggan. C'est quoi, ton secret?

– Je lui parle, je joue avec lui. Tu as vu... Rien d'autre!

– Je parle aussi à Essix, quand elle est dans le coin. J'ai l'impression qu'elle tolère ma présence, sans plus. J'aimerais tellement qu'on se comprenne mieux tous les deux.

– Je ne suis pas sûr de vraiment comprendre Briggan, répondit Conor. On est plus complices qu'au début, mais il aime aussi faire des choses de son côté. Filer dans les bois... flairer tout ce qu'il trouve.

– Sauf qu'il revient toujours. Et il veille sur toi.

– Essix est là quand il le faut, affirma Conor.

– Oui, si on veut, murmura Rollan. J'ai toujours été assez doué pour cerner les gens. Bien obligé, vu la vie que je menais. Il fallait que je sois prudent et que j'évite ceux qui avaient de mauvaises intentions. Désormais, avec l'aide d'Essix, je remarque encore plus de détails.

– C'est utile.

– J'aimerais maîtriser l'état passif.

– Je n'y arrive pas non plus avec Briggan.

Rollan fit la moue.

– Mademoiselle Parfaite a réussi, elle. Je lui demanderais bien comment elle fait, mais il faudrait qu'elle daigne nous adresser la parole.

– Ne sois pas trop dur avec elle. Elle est sans doute juste timide.

Rollan éclata de rire.

– C'est une possibilité. Mais, sincèrement, tu n'y crois pas plus que moi, si ? Je sais que tu es gentil, que tu as grandi dans les prés, à la campagne, mais tu ne peux pas être aussi naïf !

Conor rougit légèrement.

– Tu penses qu'elle se croit supérieure ?

– Ce n'est pas moi qui l'ai dit !

– Ben, elle a peut-être raison.

Rollan rit à nouveau.

– Oui, peut-être. Elle se bat mieux, c'est sûr. Son animal totem lui obéit au doigt et à l'œil. Elle est riche, elle est jolie et son père est général !

– Nous sommes tous dans le même bateau, lui rappela Conor. Peu importe d'où elle vient, Meilin a pris la cape verte, comme moi.

Le visage de Rollan s'assombrit.

– C'est ça ! Et moi, je suis la brebis galeuse. Vous êtes tous des Capes-Vertes, sauf moi. Pourquoi vous me mettez toujours la pression ?

– Cette pression s'appelle la voix de la conscience, affirma Conor en le regardant droit dans les yeux.

– Je n'y connais rien, moi. Ma mère ne m'a pas appris tout ça avant de m'abandonner.

– Moi, mon père m'a placé comme domestique pour payer ses dettes, renchérit Conor.

– Arrête ! Au concours de l'enfance la plus malheureuse, je l'emporte haut la main ! affirma Rollan. N'essaie pas de me battre !

Conor sourit à contrecœur.

– T'as jamais vu mon père quand il est de mauvaise humeur. Mais bon, d'accord, tu as gagné !

– Pour une fois, ça fait plaisir, décréta Rollan.

Un peu plus tard dans la journée, le vent se leva. Les nuages s'amoncelaient dans le ciel, qui devint de la couleur d'un vieil hématome. Le temps se rafraîchit, aussi Conor montra-t-il à Rollan comment s'emmitoufler dans sa couverture, par-dessus sa cape.

— Il faut plusieurs couches pour bien se protéger, conseilla-t-il en drapant son propre plaid autour de ses épaules. Car, une fois que tu as laissé le froid pénétrer, c'est plus difficile de se réchauffer.

— Tu crois que ça va empirer? demanda Rollan.

— La couleur du ciel ne me dit rien qui vaille. C'est signe de mauvais temps.

— Tu t'y connais, reconnut Barlow. Si on était dans la plaine, je craindrais une tornade.

— Une tornade! s'exclama Rollan.

Il observa les nuages menaçants. Une tornade, évidemment! Sans ça, ç'aurait été trop facile d'affronter ce monstrueux bélier.

— Mais dans la montagne c'est pire, non? s'inquiéta-t-il. Le vent pourrait nous faire tomber d'une falaise.

Le terrain était de plus en plus accidenté, les pré-cipices redoutables, les sommets qui les entouraient paraissaient de plus en plus hauts et les pins qui

poussaient à cette altitude prenaient des formes tortueuses et étranges. Ils avaient traversé de grandes
étendues de roche nue et d'éboulis. Rollan détestait
longer un ravin à cheval. Il avait le vertige.

— En montagne, les vents tourbillonnent moins
qu'en plaine, lui expliqua Barlow. Mais ça peut
quand même être dangereux. On risque d'avoir une
tempête, de la pluie, ou même du blizzard.

— On pourrait se réfugier là-bas, sous ce promontoire, fit Conor en tendant le doigt. On serait à l'abri
de la pluie, tant que le vent ne change pas. Et puis
les petits pins au pied de la paroi nous protégeront
aussi. Si la foudre s'abat, ce sera sur un pic.

— Waouh ! souffla Barlow, admiratif. Voilà un
garçon qui a grandi au grand air.

Conor baissa la tête, mais Rollan voyait bien
qu'il était flatté.

— Je gardais des troupeaux.

Barlow héla son ami :

— Monty !

— Conor pense qu'on devrait s'abriter au pied
de cette falaise en attendant de voir comment ça
tourne.

Monty fit stopper son cheval pour scruter les environs.

– Le gamin a raison. Je suis d'accord.

– Quand on devra trouver de quoi croûter dans un quartier mal famé, tu seras content que je sois là, promit Rollan à Conor.

– Je suis déjà content, répliqua ce dernier.

Une bourrasque fit voler sa couverture. Il l'agrippa fermement.

– Tu devrais peut-être appeler Essix.

Rollan leva les yeux. Le ciel s'était encore obscurci.

Il ne voyait pas son faucon dans les parages.

– Essix ! cria-t-il. Reviens. Il y a une tempête qui couve.

Un nouveau coup de vent le gifla, lui envoyant une poignée de gravillons dans le visage. Il les entendit pleuvoir autour de lui, leva la tête, mais il n'y avait rien que le ciel au-dessus de lui.

– Vite, à l'abri ! cria Barlow.

Rollan sentit quelque chose lui tomber sur la tête, malgré sa capuche. Il comprit alors qu'il s'agissait de grêlons, de plus en plus gros.

Conor partit au galop. Rollan talonna son cheval pour l'imiter. La grêle leur fouettait le dos. Les billes de glace ricochaient sur les rochers alentour.

Surpris par la violence des projectiles qui s'abattaient sur ses mains, il baissa la tête afin de se protéger le visage. Une nouvelle bourrasque les dévia à l'oblique. Tarik et Meilin étaient déjà à l'abri, tapis contre la paroi rocheuse. Monty les avait presque rejoints.

Un grêlon frappa Rollan en plein front. Il glissa de sa selle, déséquilibré. Accroché par un pied dans l'étrier, il frôlait dangereusement le sol. S'il tombait à cette vitesse, il risquait de graves blessures. Heureusement, son cheval se mit au trot et quelqu'un saisit le garçon fermement par l'épaule pour le remettre en selle.

– Ça va ? cria Barlow à son oreille pour couvrir le mugissement du vent.

Vu les circonstances, Rollan pouvait déjà s'estimer heureux d'être en vie.

– Oui, allons-y ! répondit-il en se penchant sur l'encolure.

Les grêlons pleuvaient de plus en plus dru. Les plus petits étaient plus gros que son pouce. Certains étaient de la taille de son poing. Son cheval soufflait par les naseaux, épuisé.

Une fois sous leur refuge de fortune, Rollan et Barlow sautèrent à bas de leur monture.

Le garçon sentit alors un goût de sang dans sa bouche et se rendit compte qu'il avait une entaille au front. Tarik le fit asseoir, adossé à la paroi rocheuse, afin de la nettoyer avec un mouchoir propre. Au moins, ils étaient protégés de la grêle. Seuls de menus éclats les atteignaient lorsque la glace se fracassait sur la roche.

Conor aida Barlow et Monty à placer les chevaux de sorte qu'ils forment une barrière contre le vent. Meilin vint s'asseoir à côté de Rollan avec Jhi. Le panda se pencha pour lui lécher le front.

– Tu as vu ça ? demanda Tarik.

– Quoi ? fit Rollan.

Il se sentait bizarre, mais...

– Ta blessure est en train de se refermer, lui apprit Tarik avant de se tourner vers Meilin. Tu savais que Jhi possédait ce pouvoir ?

– Je l'ai libérée en lui demandant d'aider Rollan, elle est censée avoir un don de guérisseuse.

– Ce n'est pas une blessure très grave, mais elle saignait beaucoup. Grâce au panda, ça cicatrise déjà. Tu as de la chance, Rollan.

– De la chance ? D'avoir pris un iceberg sur la tête ? marmonna le garçon.

– De la chance parce que tu t'en sors sans trop de mal, reprit le Cape-Verte.

Rollan lança un regard gêné à Meilin et Jhi.

– Merci. C'est gentil. Je vais me débrouiller maintenant.

La tête lui tournait. Ce panda lui avait assez bavé dessus.

– De rien, répondit simplement la jeune fille.

Pendant que Barlow et Monty essayaient d'allumer un feu, Tarik s'assura que tout le monde était bien emmitouflé. Le vent hurlait. Les grêlons gros comme des billes formaient des congères. Finalement, les deux hommes abandonnèrent tout espoir de faire un feu, et tous se résignèrent à se blottir les uns contre les autres pour se réchauffer.

— Je n'ai jamais vu une tempête pareille, commenta Monty. Ça m'étonnerait que ce soit une coïncidence.

— Vous croyez qu'Arax l'a envoyée pour nous décourager? s'étonna Meilin.

— Il va falloir un peu plus que deux ou trois glaçons, affirma Tarik.

— Allez dire ça à mon crâne, marmonna Rollan. Alors, pas de feu?

Monty secoua la tête.

— Trop de vent, fit Barlow. Et pas assez de petit bois.

Au désespoir, Rollan se pencha et, entre les jambes des chevaux, scruta le ciel à la recherche de son faucon, sans succès.

— Vous pensez qu'Essix va bien? demanda-t-il, craignant la réponse.

— Elle a dû s'abriter avant nous, le rassura Barlow. Les animaux ont un instinct, elle devrait s'en sortir indemne.

— La tempête va forcément cesser, affirma Tarik. On n'a qu'à attendre.

Rollan hocha distraitement la tête, sans savoir ce qui était le plus à craindre : la tempête ou le bélier qui l'avait déclenchée.

La grêle finit par se calmer à la tombée du jour. Le vent faiblissant, Barlow et Monty réussirent à allumer un feu. Durant la nuit, les températures remontèrent et à l'aube toute trace de glace avait fondu.

Peu de temps après le lever du soleil, Essix les rejoignit, toujours aussi vive et alerte.

Rollan l'accueillit chaleureusement, puis prit de quoi la nourrir dans sa sacoche de selle. Malgré le discours rassurant de Barlow, il l'avait imaginée trempée, son corps frêle ballotté par le vent, chahuté par la grêle.

Mais le faucon se comporta comme si rien d'extraordinaire n'était arrivé et s'envola juste après avoir mangé. Pour une fois, Rollan fut soulagé de le voir agir avec un tel détachement.

Après deux jours au ralenti, ils aperçurent des empreintes géantes. Cette fois, Briggan les repéra avant Scrubber.

– Pas fraîches, mais pas trop vieilles non plus, diagnostiqua Monty après les avoir examinées. Elles datent de moins de trois jours, peut-être deux.

– On se rapproche, murmura Rollan.

Il désigna des buissons en suggérant :

– En cas de problème, l'un de nous devrait attendre caché ici.

Monty pouffa.

– On devrait rester à deux, plutôt. Toi et moi ?

L'angoisse de Rollan ne cessait de croître. Au départ, il était convaincu qu'ils n'arriveraient jamais à trouver Arax, mais ces traces fraîches changeaient la donne.

Ils longèrent une crête montagneuse qui les mena jusqu'à un paysage encore plus inhospitalier. L'odeur métallique du granit dominait, même si l'on détectait encore un léger parfum de pin. La végétation était de plus en plus clairsemée. De petits épineux maigrichons se cramponnaient aux rares plaques de terre.

Par instants, les chevaux avaient à peine la place de progresser le long de l'étroite corniche de pierre, avec un ravin sans fond à gauche et un mur de pierre lisse à droite. Rollan préférait ne pas imaginer ce qui se produirait si jamais sa monture trébuchait. Il était de plus en plus difficile de trouver des empreintes maintenant qu'il n'y avait que de la pierre sous leurs pieds. Cependant, Briggan ne se décourageait pas.

Dans l'après-midi, ils arrivèrent à un passage trop étroit pour les chevaux. Chargés du strict nécessaire et de leurs armes, ils continuèrent à pied en avançant en crabe sur le minuscule sentier, dos à la paroi rocheuse. Un à-pic vertigineux s'ouvrait au bout de leurs orteils.

Rollan enviait Essix, qui se laissait porter par les courants alors qu'ils risquaient de se briser le cou à chaque instant. Par chance, personne ne perdit l'équilibre. Briggan courait presque.

De l'autre côté, ils entrevirent Arax pour la première fois. Au-dessus d'eux se dressaient quatre sommets, reliés par des cols d'altitude et émaillés de neige.

La silhouette du bélier, perché sur un rocher, se découpait en contre-jour. Même à cette distance, il paraissait gigantesque. Ses cornes tortueuses couronnaient sa tête massive. Tout le monde se figea. Puis Arax bondit et disparut de leur vue.

– Il était plus près que la dernière fois, constata Barlow, en se caressant nerveusement le menton.

– Il est tard, la nuit va bientôt tomber, regretta Tarik.

– Il nous a vus, affirma Barlow. Si on attend, demain matin, il sera déjà loin.

– Alors je vote pour qu'on attende, marmonna Monty.

Malgré tout, Tarik, Briggan et Conor prirent la tête du groupe. Ils avancèrent avec précaution dans un éboulis, puis débouchèrent sur une immense plateforme de pierre qui dominait la vallée. Arax était posté tout au bout.

Il faisait deux fois la taille du plus grand de leurs chevaux. Sa toison était argentée, ses épaisses cornes, dorées. On voyait ses muscles saillir à l'encolure.

Rollan le toisa, éberlué. Le bélier était si imposant que lui-même avait l'impression d'avoir rétréci. Sa présence majestueuse rappelait qu'il avait traversé les siècles. Ce n'était pas une créature à qui l'on pouvait réclamer quoi que ce soit, c'était une créature qu'on révérait. Rollan jeta un coup d'œil à ses compagnons, qui étaient aussi impressionnés que lui.

Arax agita les oreilles. Il poussa un grognement, raclant la roche du sabot. Qu'attendait-il d'eux exactement? Étaient-ils censés s'adresser à lui? Prendre la fuite? Faire la révérence? Il avait un regard étrange, avec ses yeux jaunes et leurs pupilles horizontales.

– Vous vous êtes ouvertement lancés à ma poursuite, déclara-t-il soudain d'un ton grave.

Rollan ignorait s'il avait réellement entendu sa voix ou si elle avait résonné dans sa tête. Il lui semblait impensable que cette énorme bête puisse parler.

– J'ai déjà croisé la route de deux d'entre vous. Je vous ai laissés repartir sans dommage. Pourquoi êtes-vous revenus?

– C'est une vision de Briggan qui nous a guidés jusqu'ici, expliqua Barlow.

Arax pencha la tête sur le côté.

– Briggan?

Ses naseaux s'élargirent de surprise.

– Ah oui... je les reconnais maintenant. Briggan et Essix. Pourtant ils ont changé depuis notre dernière rencontre. Ils sont de retour.

Rollan jeta un coup d'œil vers le ciel.

Essix décrivit un cercle au-dessus d'eux.

Meilin fit alors apparaître Jhi. Le panda s'assit et regarda Arax d'un air placide.

– Jhi est là aussi, constata-t-il. Et Uraza?

– Uraza n'est pas avec nous, annonça Tarik. Mais elle est aussi réapparue.

– C'est une bonne chose, déclara le bélier. Bien loin de leur splendeur d'autrefois, ce ne sont encore que de jeunes pousses. Mais tout petit deviendra grand.

– Les Quatre Perdues ne sont pas les seules à être de retour. Le Dévoreur est également revenu, lui apprit Tarik.

– Ah, fit Arax. Vous venez me demander conseil. D'anciennes forces reprennent de la vigueur. On peut certes emprisonner une Bête Suprême, mais pas éternellement. Gerathon et Kovo s'agitent.

Tarik sembla pris de panique.

– Le singe s'est échappé ? Ou est-ce le serpent ?

– Si ce n'est pas encore le cas, ça ne va pas tarder. Je ne suis pas le mieux placé pour prédire ce genre de chose. C'est Tellun le spécialiste.

Briggan hurla.

Arax acquiesça, baissant ses cornes.

– Comme Briggan en son temps, oui.

– Le Dévoreur en a après ton talisman, l'informa Tarik. Avec tout le respect que nous te devons, nous sommes venus te demander si tu accepterais de nous le prêter. Nous avons besoin d'aide pour la guerre qui se trame.

Arax piaffa. L'écho de ses sabots résonna dans la vallée.

– Que je vous prête mon talisman ? Ne proférez pas de telles inepties !

Essix poussa un cri. Elle se percha sur l'épaule de Rollan en y enfonçant les serres, traversant sa cape.

Le garçon avala sa salive avant de prendre la parole :

– Je crois bien qu'Essix proteste ! Elle sait qu'on a besoin du talisman.

Les yeux dorés se posèrent sur lui.

– Je la comprends mieux que toi, affirma le bélier. Les Quatre Perdues ont cru qu'elles résisteraient davantage en unissant leur force... et elles ont échoué.

Briggan gronda. Essix poussa un long cri en battant des ailes. Même Jhi se dressa sur ses pattes arrière, et fixa Arax avec une intensité inhabituelle.

– Mais nous avons quand même pu arrêter le Dévoreur, lui rappela Tarik. Et mettre Kovo et Gerathon en cage.

– Es-tu sûr que c'était la bonne solution ? riposta le bélier. Leur haine n'a fait qu'enfler, fermenter. Il est impossible de les détruire, pas définitivement en tout cas. Je pense que ce serait une erreur de céder à la panique, mieux vaut que chacun défende son territoire. Personne ne m'a pris mon talisman durant la dernière guerre et il n'y a aucune raison que ça change.

Et pour clore la discussion, il donna un coup de sabot contre la pierre.

– Arax a parlé.

– C'est fini ? murmura Rollan, incrédule.

– Je t'en prie, réfléchis, le supplia Tarik. Il nous faut ce talisman. Nos ennemis ne reculeront pas, nous ne pouvons abandonner.

Arax dressa la tête. Il gonfla les naseaux et agita les oreilles.

– Traîtres ! hurla-t-il, les yeux étincelants. Une horde d'étrangers approche. Uraza est avec eux. Vous m'avez menti ! Vous allez le payer cher !

Le bélier prit son élan et chargea droit sur Tarik.

Les étrangers

Comme le bélier chargeait, Tarik l'esquiva de justesse. Ses énormes cornes ébranlèrent la roche avec la force d'un tremblement de terre. Des éclats de pierre volèrent en tous sens, un réseau de fissures étoila la paroi. Meilin sentit le sol trembler sous ses pieds.

Tarik dégaina son épée, et sa loutre apparut dans un éclair.

Arax chargea à nouveau, mais cette fois le Cape-Verte l'évita d'un bond gracieux.

Meilin examina les lieux. La corniche de pierre, assez large là où ils se trouvaient, s'étirait sur plusieurs mètres avant de s'arrêter brusquement devant un à-pic vertigineux.

Barlow libéra Jools. Le grizzly se jeta sur le bélier de tout son poids et le fit vaciller. Arax lui flanqua un coup de sabot qui l'envoya rouler au bord du gouffre.

Meilin recula un peu pour tenter d'apercevoir les nouveaux arrivants qui avaient tant irrité le bélier. Avec un peu de chance, Uraza leur amenait des renforts, un second groupe de Capes-Vertes pour l'affronter.

Dix... non, onze personnes venaient dans leur direction. Elles n'étaient plus très loin. Aucune ne portait la cape verte. En revanche, elles avaient pour la plupart des animaux totems. Une jeune habitante du Nilo avançait au côté d'une panthère, sautant habilement de rocher en rocher. Le magnifique animal se déplaçait avec la grâce si particulière des félins. La fille était agile, grande pour son âge, et marchait d'un pas assuré. Fille et panthère progressaient au même rythme, subtilement synchronisées, comme si elles suivaient la même musique silencieuse. Ce devait être Uraza et son humaine.

Meilin vit aussi un babouin, un carcajou, un puma, un chacal et un condor amayain de grande envergure.

Elle avait déjà admiré toutes ces espèces en cage dans la ménagerie du palais, mais c'était bien différent de les voir en liberté.

– Ce ne sont pas des Capes-Vertes ! annonça-t-elle.

– Nous ne t'avons pas tendu de piège, Arax ! cria Tarik. Ces gens sont sûrement envoyés par nos ennemis.

Le bélier revint à l'attaque, Tarik l'évita d'un bond. Il aurait pu en profiter pour le toucher d'un coup d'épée, mais il ne le fit pas.

– Vous êtes tous là dans le même but, gronda Arax. Me prendre mon bélier de granit.

Rollan, Conor et Monty rejoignirent Meilin tandis que Barlow et Tarik affrontaient Arax.

– C'est Zerif ! s'exclama Rollan.

L'homme au petit bouc bien taillé leva la main pour le saluer. Un chacal trottinait à ses côtés.

– Comme on se retrouve ! dit-il en approchant. J'aime beaucoup la couleur de ta cape, Rollan.

– Vous allez nous attaquer ? demanda le garçon.

– Pas si vous vous joignez à nous, répliqua Zerif en riant. Sylva, localise le talisman.

Une chauve-souris surgit alors du poignet d'une des femmes. Celle-ci la serra entre ses mains, les yeux clos. Un instant plus tard, elle rouvrit les paupières.

– C'est bon.

– Va le prendre, ordonna Zerif. Pendant ce temps, on nettoie les alentours.

La femme s'éloigna tandis que le petit groupe se rapprochait.

– Abéké ! s'écria Meilin. On te cherchait. Pourquoi es-tu de leur côté ?

– Elle veut qu'Uraza soit dans le bon camp, cette fois-ci, affirma le garçon accompagné d'un carcajou. Le règne des Capes-Vertes a assez duré !

Le poil hérissé, Briggan se mit à grogner. Uraza répondit par un feulement rageur. Sentant la tension entre les deux bêtes, Meilin saisit son bâton.

– Reculez, conseilla Monty. Ils vont descendre jusqu'à nous. Qu'on se batte sur un terrain plat.

Il avait raison. Meilin recula. Son cœur tambourinait dans sa poitrine. Elle ne s'était jamais battue pour de vrai jusque-là. Elle avait affronté Derawat dans un combat encadré par des règles précises. Aujourd'hui, elle devait s'attendre au pire face à de tels adversaires... Comment allait-elle réagir maintenant que sa vie était en jeu ?

Elle aperçut Jhi, occupée à arracher une herbe qui poussait entre deux pierres.

– Jhi ! Pourrais-tu m'aider, comme Lumeo aide Tarik ? Nous sommes en danger. J'ai besoin de tout le soutien que tu peux m'apporter.

Le panda lui lança un regard, avant de se retourner vers son herbe. Meilin serra les lèvres, dégoûtée.

Conor se balançait d'un pied sur l'autre, agrippant sa hache dans son poing aux phalanges blanchies. Briggan faisait les cent pas à ses côtés.

– Tu vas bien te débrouiller, Conor, l'encouragea Meilin.

Il lui adressa un sourire hésitant.

– J'ai l'habitude de couper du bois. S'ils ne bougent pas trop, je devrais y arriver.

La jeune fille laissa échapper un petit rire surpris. Il fallait un sacré courage pour plaisanter à un moment pareil.

Rollan leva les yeux vers le ciel. Essix décrivait de grands cercles au-dessus de leurs têtes.

– Tu viens nous aider ? lança-t-il, un peu agacé.

Par-dessus son épaule, Meilin vit Barlow à terre, roulant pour échapper aux énormes sabots d'Arax. Tarik et Jools se précipitèrent à son secours. Lorsqu'elle se retourna, un Amayain fonçait sur eux au galop, monté sur un buffle. Avec ses compagnons, elle s'écarta lestement.

Meilin était à peine consciente de ce qui se passait autour d'elle. Briggan qui mordait le flanc du buffle. Conor qui repoussait un bouquetin en agitant sa hache. Rollan qui reculait en agitant son couteau. Monty qui armait son lance-pierre. Elle était entièrement concentrée sur la femme qui venait vers elle, accompagnée de son puma.

Meilin se mit en position de combat tandis que, à côté d'elle, Jhi se dressait sur ses pattes arrière.

Brandissant une lance, la femme se jeta sur la jeune fille, les lèvres écartées en une grimace haineuse. Meilin bloqua la lance avec son bâton, puis lui assena un coup sur le crâne. Son adversaire s'affala en tas sur le sol.

Meilin se prépara à affronter la fureur du puma. Celui-ci était prêt à bondir, les yeux rivés sur son panda. Mais il ne bougeait pas. Jhi s'approcha de lui et lui posa les pattes avant de chaque côté du crâne. Les yeux du puma se fermèrent et il se roula en boule sur le sol, profondément endormi.

– Ah... C'est mieux que rien, commenta Meilin en scrutant les environs.

Barlow aidait Tarik à pousser le bélier vers les nouveaux arrivants. Une stratégie habile : autant laisser leurs ennemis combattre le bélier géant. Briggan avait rejoint Conor. Un Amayain gisait à leurs pieds tandis que son bouquetin reculait sous la menace combinée des dents du loup et de la hache de son humain.

Monty se battait à mains nues contre une Zhongaise dont l'agile mangouste roulait à terre avec Scrubber. Visiblement, il avait besoin d'aide.

Le père de Meilin lui avait appris que le fair-play n'a pas sa place sur le champ de bataille. Quand on se bat pour sa vie, on saisit la moindre occasion plutôt que de la laisser à l'ennemi. Meilin se rua donc au secours de Monty, assommant son adversaire par derrière avant de faire subir le même sort à sa mangouste.

Tarik et Barlow s'écartèrent juste à temps, quand le buffle chargea Arax. Cette montagne de muscles avait pourtant l'air pitoyable comparée au bélier géant. Son humain le poursuivait en lui criant d'arrêter. Mais les deux bêtes entrèrent en collision, cornes contre cornes, avec un craquement sinistre. Lorsque le buffle tituba, bien amoché, l'homme se mit à hurler.

Dans le ciel, Essix poussa un cri. Levant la tête, Meilin aperçut Abéké et Uraza perchées sur un promontoire rocheux. Comme la jeune fille armait son arc, le faucon se jeta sur elle, toutes serres dehors, pour dévier son tir. Uraza gronda, tentant de l'écarter d'un revers de patte.

– Non, Abéké ! cria Meilin. Tu n'as pas choisi le bon camp.

Abéké tenta d'abattre Essix, et manqua sa cible de peu. Meilin se rendit compte que Jhi était en train de gravir prudemment la pente pour les rejoindre.

Tarik se battait à l'épée contre Zerif. Il avait la grâce d'un acrobate, tournoyant et sautant, le pied léger. Mais il avait trouvé un adversaire à sa mesure, car Zerif parait tous ses coups et contre-attaquait avec une vivacité étourdissante.

– Meilin, attention ! cria Monty.

La jeune fille pivota juste à temps pour éviter le sabre du garçon au carcajou. Elle tenta de le fau-cher, mais il bondit et abattit à nouveau son arme. Alors qu'elle faisait siffler son bâton, il le coupa en deux, puis, comme elle continuait à se battre avec une moitié dans chaque main, il les raccourcit d'un coup de lame précis. Il était habile et rapide. Même armée d'une épée, Meilin n'était pas sûre qu'elle aurait eu le dessus.

Elle recula, tirant sa matraque, plus courte et épaisse que son bâton, et renforcée de métal.

C'est alors que Rollan surgit de nulle part en brandissant son couteau, mais l'autre para l'attaque et l'envoya rouler à terre. Le carcajou lui saisit le bras dans sa gueule pour le secouer férocement.

– Tu es douée, glissa le garçon à Meilin. Dommage que tu te battes contre nous.

– Vous avez envahi mon pays, gronda la jeune fille.

– Vous devriez être flattés. Nous vous admirons. Nous rêvons d'un Zhong meilleur, libéré de l'oppression des Capes-Vertes.

Meilin lui flanqua un coup de matraque qu'il esquiva avec une vivacité déconcertante, il en bloqua un second avant d'attaquer. Elle dut reculer. Elle était tellement occupée à parer les coups de sabre qu'elle ne vit pas le croche-pied qui la fit tomber en arrière.

Penché au-dessus d'elle, brandissant son sabre d'un air menaçant, le garçon sourit.

– Je te suggère de te rendre.

Le bélier de granit

D e son perchoir, Abéké dominait le champ de bataille. Zerif se battait contre un Cape-Verte qui semblait danser avec son épée. Shane affrontait une Zhongaise qui lui résistait plutôt bien compte tenu de sa petite taille et de son jeune âge. Abéké aurait voulu aider son ami en tirant une flèche, mais cette saleté de faucon la harcelait, avec ses serres pointues.

Elle avait déjà perdu deux flèches en tentant de l'abattre.

Uraza poussa un feulement sourd. La jeune fille crut comprendre ce qu'elle voulait. Elle s'accroupit près de sa panthère et banda son arc. Elle tira une flèche qui obligea le rapace à changer de direction et sa panthère en profita pour bondir, refermant sa mâchoire sur une aile. Le faucon se débattit un instant, mais un feulement menaçant l'arrêta.

Abéké arma de nouveau son arc. Que faire? Planter une flèche dans le cœur de l'adversaire de Zerif? Ou bien abattre le grand gars et son ours? Mais sans doute valait-il mieux le laisser distraire Arax, qui avait déjà mis le buffle hors d'état de nuire et piétiné un babouin.

Tandis qu'elle hésitait, elle remarqua que son arc tremblait dans sa main. Était-elle vraiment prête à tuer un Cape-Verte? Elle était venue ici pour aider Shane et Zerif à s'emparer du talisman, pourtant elle avait l'impression que quelque chose clochait.

La fille zhongaise avait un panda. Le garçon à la hache, un loup. Et le faucon qui l'avait attaquée... c'était peut-être bien Essix? Elle se battait contre les autres Bêtes Perdues. Comment savoir qui était dans le bon camp ?

Shane et Zerif lui avaient demandé son aide. Ou plutôt l'aide d'Uraza. Abéké fronça les sourcils. Personne ne s'était jamais intéressé à elle avant l'arrivée de la panthère. Paralysée par l'indécision, elle laissa passer sa chance d'agir.

Le panda s'avança tranquillement, ses yeux argentés scintillant dans son masque noir. Ce devait être Jhi. Les légendes qu'elle avait entendues autour du feu devenaient réalité : les Capes-Vertes, Arax le bélier, les Quatre Perdues... Lorsqu'on raconterait ce nouveau chapitre de l'histoire, ferait-elle partie des méchants ou des gentils ?

Le faucon toujours dans la gueule, Uraza regarda le panda approcher. Jhi paraissait ridicule dans cette posture. Elle semblait trop ronde, trop pataude pour progresser le long de cette étroite crête rocheuse. Abéké tourna son arc vers elle.

Uraza la fixa alors en émettant un grondement sourd. La jeune fille baissa immédiatement son arme. Sa panthère ne l'avait jamais menacée de la sorte.

Le panda flaira Uraza. La panthère lâcha le faucon, qui, après deux petits bonds sur le rocher, s'empressa de prendre son envol. Uraza aurait pu lui briser l'aile d'un seul coup de dents. Pourtant, elle avait dû faire attention, car l'oiseau était indemne.

La panthère et le panda demeurèrent un instant truffe contre truffe. Puis Uraza leva les yeux vers Abéké et ronronna.

– Tu reconnais Jhi?

Uraza la fixa intensément de ses yeux violet profond. Pour une fois, la jeune fille avait du mal à comprendre ce que son animal souhaitait.

Abéké saisit son arc. Si elle ne voulait pas blesser l'un des Capes-Vertes, sans doute valait-il mieux qu'elle tente de trouver le talisman. Dès qu'elle mettait la main dessus, ce carnage cesserait.

En contrebas, Shane toisait la jeune Zhongaise, prêt à abattre son sabre. Elle gisait à terre, sans défense. C'est alors qu'un garçon, le carcajou cramponné au bras, saisit Shane par derrière. Celui-ci s'affala, la jambe tordue bizarrement. Aussitôt la Zhongaise ramassa son sabre et le brandit, menaçante. Livide, Shane rappela son carcajou à l'état passif.

– Nous n'allons pas affronter Jhi, promit Abéké à Uraza. Mais, je t'en prie, ne les laisse pas faire de mal à Shane.

Uraza fit alors demi-tour et bondit du rocher en rugissant. C'était un saut gigantesque qu'Abéké n'aurait pas tenté. Uraza plaqua au sol la Zhongaise d'une patte et l'Amayain de l'autre. La jeune fille parut terrifiée, mais, lorsque Uraza feula pour faire reculer le carcajou de Shane, elle leva les yeux vers Abéké. Soutenant son regard, cette dernière hocha la tête d'un air grave.

Sur le visage de la Zhongaise se peignit alors la plus grande stupéfaction.

Abéké scruta le ciel à la recherche d'Essix. Elle la repéra juste au-dessus de Sylva. Celle-ci observait sa chauve-souris, qui voletait plus haut tout contre la face de la montagne, devant une sorte de renfoncement dans la paroi rocheuse. La femme avait beau tendre les bras, le talisman était hors de sa portée. Comme personne en contrebas ne leur prêtait attention, Abéké s'élança, son arc à la main, dans l'espoir de pouvoir l'aider à atteindre le talisman.

Au loin, elle vit le faucon passer à l'attaque. Sylva hurlait et sautait pour tenter de le chasser, mais Essix secoua violemment la chauve-souris. Lorsqu'elle la relâcha, celle-ci tomba comme une pierre dans le ravin. Sylva se jeta à genoux au bord du précipice en criant son nom.

Le faucon s'approcha de l'endroit où se tenait quelques instants plus tôt la chauve-souris. Abéké distinguait maintenant une sorte de boîte faite de pierres plates grossièrement assemblées. Essix eut beau jouer du bec et des serres, elle ne parvint pas à l'ouvrir.

– Ne touchez pas à ça ! tonna Arax, sa voix puissante résonnant dans la vallée entière. Arrière, voleurs et traîtres !

Une bourrasque terrible s'abattit alors sur la montagne.

Elle poussa Abéké en avant et écarta Essix de la niche. Le faucon fut ballotté de-ci, de-là, heurtant plusieurs fois la paroi rocheuse avant de trouver refuge dans un recoin, à l'abri.

Abéké se souvint alors des paroles de Ze
Arax contrôlait le vent. C'était fou : elle dut se pe
cher en avant pour conserver son équilibre. Uraza
courait à ses côtés, le poil aplati par la bourrasque.

Elle rejoignit enfin Sylva.

– Comment va ta chauve-souris ?

– Elle a atterri sur un rocher en contrebas,
répondit-elle en tendant le bras. Elle est blessée.

Abéké leva les yeux vers la niche qui contenait
le coffret de pierre. Elle était beaucoup trop haut et
surplombait le vide. Cependant il y avait peut-être
moyen de s'y hisser en s'agrippant à des failles et
à des buissons. Elle se tourna vers Uraza.

– Tu crois que je peux y arriver ?

Sa panthère la poussa du museau, l'air encou-
rageant.

Les sens d'Abéké s'aiguisèrent aussitôt. Elle
bénéficiait maintenant de la finesse de perception
et de la puissance de sa panthère. Elle voyait désormais le flanc de la montagne avec plus de relief,
distinguant davantage de prises pour ses mains et
ses pieds. Elle se sentit aussitôt plus confiante. Elle
posa son arc et s'accroupit. Elle avait le vent dans

le dos. Aucun humain n'aurait pu espérer atteindre le rocher le plus proche d'un bond, mais, avec le soutien d'Uraza, Abéké n'était pas une personne ordinaire.

Elle courut et sauta, profitant de l'élan que lui donnait le vent, bondissant à une saillie plus petite. Elle y posa un pied, puis s'étira et s'agrippa des deux mains à un étroit rebord, s'égratignant les avant-bras. Malgré le vent qui tournoyait autour d'elle, elle s'y hissa et bondit à nouveau. Cette fois, le vent était contre elle et elle atteignit son but de justesse. Elle s'interdit de regarder en contrebas. Il n'y avait que le vide, un vide vertigineux.

Elle se redressa et progressa en crabe le long de l'étroite plateforme, le plus loin possible. Un dernier bond lui permit d'accéder au coffret de pierre dans sa niche.

– Non ! Non, non, non ! protesta Arax.

Le vent redoubla de vigueur et la montagne entière en fut ébranlée. Plaquée contre la paroi de pierre, Abéké rassembla ses forces pour soulever le couvercle. À l'intérieur, elle découvrit un bélier sculpté dans le granit au bout d'une fine chaîne en métal.

Le vent se calma, mais la montagne tremblait toujours. Quelques pierres roulèrent et tombèrent dans le ravin. Priant pour que le talisman lui vienne en aide, Abéké passa le collier autour de son cou.

Elle tituba, la corniche se fendait sous ses pieds. La paroi tout entière vibrait. Le bélier de pierre ne lui était d'aucun secours. La plupart des prises qu'elle avait utilisées pour venir avaient disparu. Les cailloux pleuvaient du sommet et la falaise volait en éclats... Elle n'avait pas d'autre choix que de sauter.

Ce n'est qu'une fois en l'air qu'elle sentit le pouvoir du talisman. Comme si la puissance que lui conférait Uraza était multipliée par quatre. Elle volait presque... Cependant, ce n'était pas assez pour revenir à son point de départ.

Alors qu'elle commençait à redescendre, elle repéra un petit rebord juste assez large pour y prendre appui. Elle y posa un pied, reprit de l'élan et, après un dernier rebond sur une pierre qui dépassait, elle atterrit en sécurité près d'Uraza.

– Incroyable, murmura Sylva.

Profitant de ce que le vent était retombé, le faucon s'envola. Sylva descendit récupérer sa chauve-souris.

Une fois qu'elle eut ramassé son arc, Abéké observa Arax. Quantité d'humains et d'animaux étaient à terre. Le bélier combattait ceux qui restaient avec une vigueur renouvelée. Il embrocha le grizzly sur ses cornes et l'envoya dans le ravin. Emporté par son élan, il s'arrêta juste à temps, manquant d'y basculer.

Puis il se tourna vers elle, ses monstrueux yeux jaunes se fixèrent sur le talisman qu'elle portait autour du cou.

Poussant un grondement tonitruant, la Bête Suprême chargea. Abéké l'esquiva lestement, sautant d'un pied sur l'autre, mais le bélier suivait le moindre de ses mouvements. La jeune fille finit par se retrouver dos au vide, au bord du précipice, alors que le bélier fonçait droit sur elle, cornes baissées.

Avec un hurlement inarticulé, un homme barbu se rua en avant et s'agrippa aux pattes arrière d'Arax, l'immobilisant. Le bélier voulut l'écarter d'un coup de tête... Impossible, l'homme lui plaquait les sabots au sol. Briggan planta alors ses dents acérées dans une de ses pattes. Avec un cri strident, Essix attaqua ses yeux jaunes à coups de serres. Le gigantesque bélier tanguait et vacillait. Au prix d'un effort surhumain, l'homme se retourna et le fit basculer dans le vide.

Il demeura à genoux au bord du précipice, regardant le bélier rejoindre l'ours au fond de la vallée.

Abéké en resta sans voix. Non seulement cet inconnu avait réussi à vaincre une Bête Suprême, mais il venait de lui sauver la vie.

– Ça... va... jeune fille ? lui demanda-t-il, hors d'haleine, en lui tendant la main.

Mais, avant qu'elle ait pu répondre, Zerif se jeta sur lui et le poignarda dans le dos. Abéké hurla. L'homme tenta d'arracher la lame qui ressortait de sa poitrine. Un Cape-Verte suivi d'une loutre accourut, tentant d'atteindre Zerif d'un coup d'épée, mais celui-ci s'enfuit.

Abéké n'en croyait pas ses yeux. Cet homme, son ennemi, lui avait sauvé la vie. Et pour toute récompense on l'avait poignardé dans le dos. Quelle traîtrise ! Comme elle s'approchait de son sauveur, Zerif courut rejoindre Shane et le hissa sur son épaule. Le Cape-Verte à la loutre se retrouva aux prises avec une Amayaine. Alors que la vipère de cette dernière tentait de le mordre, sa loutre la saisit dans sa gueule. Le serpent avait beau se débattre, la loutre refusait de le lâcher. Un instant plus tard, le grand homme assomma son adversaire du pommeau de son épée.

Pendant ce temps, Zerif prenait la fuite avec les autres. Il se tourna vers Abéké, le regard fou :

– Vite ! Par ici !

Abéké secoua la tête, brusquement très sûre d'elle.

– Pas question. Je ne suis plus dans votre camp, Zerif !

Celui-ci parut stupéfait, puis ses yeux prirent un éclat froid et furieux. Son chacal était à ses côtés, indemne, mais le carcajou de Shane boitait. Une poignée de survivants les entouraient, bien mal en point. Ils avaient presque tous perdu leur animal totem. Zerif n'avait plus d'alliés.

Abéké arma son arc.

– Va-t'en, ou les flèches vont pleuvoir.

Après lui avoir lancé un regard assassin, Zerif fit volte-face et s'en fut à la vitesse de l'éclair.

Le grand Cape-Verte à la loutre s'adressa à Abéké.

– Tu as le talisman ?

Elle prit dans sa main le bélier de granit qui pendait à son cou.

– Oui...

– Et tu es de notre côté, maintenant ?

– Si vous voulez bien de moi.

Le Cape-Verte hocha brièvement la tête.

– Bien sûr que oui. Nous avons besoin de toi. Je m'appelle Tarik.

Il s'agenouilla auprès de l'homme barbu. La jeune Zhongaise les rejoignit, ainsi qu'un homme plus petit, accompagné d'un raton laveur. Jhi renifla la blessure, où la lame était toujours plantée.

– Soigne Barlow ! lui ordonna Meilin. Tu sais le faire, non ? Ou alors aide-moi...

– Certaines blessures ne peuvent être guéries, murmura Barlow. Le bélier a eu mon ours, mais Jools m'a quand même fourni un dernier élan d'énergie. Sans lui, je n'aurais pas pu soulever cette bête.

Jhi lécha son humaine qui était en pleurs.

– Sauve-le, répéta-t-elle entre deux sanglots.

Barlow prit la main du petit chauve.

– Tu as été le meilleur compagnon qu'un homme puisse espérer, Monty, reprit-il dans un souffle. Un véritable ami.

Le blessé avait du mal à respirer.

– Tu n'oublieras pas de dire aux autres que j'ai balancé une Bête Suprême du haut d'une falaise, hein ?

– On le chantera, on le racontera jusqu'à la fin des temps, promit Monty.

– Désolé de t'abandonner.

– Je te rejoindrai, assura le chauve, en larmes.

Barlow regarda alors Tarik. Un filet de sang coula dans sa barbe.

– Si c'est possible, enterrez-moi dans une cape verte.

– Rien ne serait plus approprié.

Barlow renversa alors la tête en arrière et ferma les yeux. Monty se pencha pour lui murmurer quelque chose à l'oreille. Sa poitrine fut soulevée de spasmes, puis se figea.

– C'est fou... Il a quand même tué une Bête Suprême, murmura le garçon au loup.

– Arax n'est pas mort, Conor, lui expliqua Tarik. Il faudrait plus qu'une chute, même de si haut. Les Bêtes Suprêmes ont une quantité phénoménale d'énergie vitale. Cependant, si on se dépêche, on devrait pouvoir lui échapper.

Malgré son ton posé, Abéké lui trouva l'air fatigué. Et abattu.

Monty releva la tête.

– Barlow est mort et je n'ai pas trop envie de le laisser ici.

– Le plus dur va être de le ramener jusqu'aux chevaux, dit Tarik. Mais on va y arriver.

Uraza acquiesça dans un grondement.

– Et s'ils nous tendent une embuscade ? s'inquiéta Conor.

Le visage de Tarik s'assombrit. Il posa la main sur le pommeau de son épée.

– Qu'ils essaient.

Les Perdues

C onor était au sommet de la tour du Levant, une légère brise lui ébouriffait les cheveux. Il avait une vue dégagée sur les environs, mais les montagnes où ils avaient affronté Arax étaient bien trop loin pour qu'il espère les apercevoir.

Ils étaient rentrés la veille, dans l'après-midi. Ils avaient pressé le pas, aiguillonnés par la crainte qu'Arax les rattrape ou que Zerif les prenne en embuscade. Mais le retour s'était déroulé sans encombre.

Conor s'efforçait de chasser de son esprit les images de Barlow et de Jools. De ne pas imaginer ce qu'il ressentirait si quelque chose arrivait à Briggan. De ne pas penser aux dangers qui les attendaient et aux amis qu'il risquait de perdre en chemin.

Il enfouit sa main dans l'épaisse fourrure de Briggan.

– J'ai du mal à croire qu'on est rentrés ici, sains et saufs. On n'est pourtant pas partis longtemps... mais ça me paraît une éternité.

Le loup lui lécha la paume. Il avait commencé à le faire après la bataille dans les montagnes. Conor s'agenouilla pour mieux le caresser.

– Sois patient avec moi. Je vais m'entraîner à manier la hache. Je suis resté en vie et j'ai distrait l'ennemi, mais je peux mieux faire. La prochaine fois, tu ne seras pas obligé de venir à mon secours toutes les cinq minutes.

Briggan lui colla sa truffe au creux de l'avant-bras.

– Ça chatouille.

Le loup le poussa du bout du museau.

– Qu'est-ce que tu fais, mon beau ?

Briggan le fixa d'un regard intense.

– Oh..., murmura Conor. Comment je dois m'y prendre ?

Ayant vu les autres tendre le bras, il les imita.

En un éclair, Briggan devint un tatoo. Conor éprouva une sensation de brûlure, comme s'il avait frôlé des braises ardentes. Mais la douleur s'estompa rapidement.

– Je t'ai vu ! fit quelqu'un dans son dos.

Rollan le rejoignait en haut de la tour, un bras en écharpe. Meilin et Abéké l'accompagnaient, drapées dans leurs capes vertes.

– Depuis combien de temps tu y arrives ? demanda Rollan. Tu te cachais pour ne pas me faire de peine, c'est ça ? T'as pitié de moi ?

– Mais non, c'est la première fois, répondit Conor en lui montrant son bras. Je t'assure.

– Bravo, le félicita Meilin.

– Merci, fit Conor, un peu intimidé.

Il n'était pas trop à l'aise quand il parlait avec elle. Elle était tellement... incroyable. Et difficile à suivre.

— Briggan ne voulait pas être à l'état passif tant qu'on était sur les routes. Il doit se sentir plus en sécurité ici.

— Je me demande si Essix se sentira un jour en sécurité, soupira Rollan.

— Laisse-lui un peu de temps, conseilla Abéké.

— Où est-elle, d'ailleurs ? s'enquit Conor.

Rollan scruta le ciel.

— En train de se balader, comme d'habitude. Elle aime mener sa vie de son côté. Et je la comprends.

— Elle t'en veut peut-être parce que tu as refusé de devenir un Cape-Verte, suggéra Conor.

Rollan secoua la tête.

— Non, je pense qu'elle me comprend. Ne le prenez pas mal. Je respecte votre décision, vraiment. Surtout de ta part, Abéké. Tu as traversé tant d'épreuves. Mais je ne suis pas sûr que ça me convienne, un engagement officiel et tout ça. Je reste. Je continue à vous aider... et qui sait, peut-être qu'un jour je prendrai la cape !

– Maintenant qu'on est rentrés, qu'est-ce qu'on va faire ? demanda Meilin.

– S'entraîner, j'imagine, fit Conor. Essayer de développer notre relation avec notre totem. Et puis trouver les autres talismans. Enfin, je crois.

– Tu as vu d'autres animaux en rêve, ces derniers temps ? l'interrogea Rollan.

Conor se détourna, contemplant distraitement le paysage, avant de déclarer :

– On a mérité une petite pause.

– Tu ne réponds pas à ma question, souligna Rollan.

Son ami baissa les yeux.

– Très bien... Je n'en ai pas encore parlé à Olvan, ni à Lenori... pourtant elle m'a jeté un drôle de regard ce matin. Je ne voudrais pas gâcher l'ambiance, mais... depuis quelques jours, je fais des cauchemars... où je vois un sanglier.

Le retour

Par-delà les mers, à l'autre bout du monde d'Erdas, sous un ciel d'une noirceur impénétrable, une chaude averse trempait un énorme monticule de terre au milieu d'une prairie désolée. Par instants, les éclairs striant la nuit éclairaient la voûte nuageuse et le grondement du tonnerre couvrait le crépitement de la pluie.

Les flashes lumineux révélaient des centaines de wombats, peut-être des milliers, qui s'affairaient autour du tas de terre, telle une armée de fourmis. Indifférents à la tempête qui faisait rage autour d'eux, ils creusaient frénétiquement, les pattes en sang.

Une silhouette solitaire sillonnait les rangs des ouvriers, surveillant l'avancée des travaux à la lueur vacillante de l'orage. Ils étaient près du but. Il le sentait.

Dans une main, il tenait une clé grossière, lourde et sculptée de têtes d'animaux. Il l'avait enfin reçue, comme promis. Des années de dur labeur allaient aboutir ce soir.

Le moindre de ses poils, le moindre de ses cheveux était hérissé. L'air bourdonnait. Il fit quelques pas, posa la clé par terre et plaqua les mains sur ses oreilles.

La foudre tomba juste à côté, envoyant une poignée de wombats dans les airs. Le tonnerre était assourdissant, même avec les oreilles bouchées. Le sol trembla. L'individu se campa sur ses pieds, les jambes raidies, pour éviter de tomber.

L'éclair suivant révéla une dizaine d'ouvriers morts sur sa gauche. Les autres continuaient à creuser avec application. Ce n'était pas un comportement normal pour des animaux, mais il ne s'agissait pas de wombats ordinaires. Ils étaient esclaves de la créature qui se trouvait sous la terre. L'homme révérait la même entité, mais avec une dévotion d'un autre genre. Tout du moins, c'est ce qu'il préférait croire.

L'individu ramassa la clé et se redressa. Tandis que la tempête se déchaînait, il arpentait le sol boueux qui collait à ses semelles. Enfin, un éclair lui apprit que les wombats avaient abandonné leur tâche pour se masser d'un côté du monticule.

Il s'empressa de les rejoindre. Il n'avait pas besoin de lumière pour se guider. La clé semblait attirée par une force invisible vers sa destination.

À la faveur d'un éclair particulièrement puissant, il aperçut une ouverture dans le monticule. Les wombats restaient à distance respectueuse. L'individu avança dans le passage, s'enfonçant jusqu'aux genoux dans la gadoue.

Retenant son souffle, il introduisit la clé dans la serrure fraîchement exhumée. Un grondement retentit, mais cette fois ce n'était pas le tonnerre. Il montait des entrailles de la terre. L'homme le sentit avant même de l'entendre, un rugissement assourdissant.

Le flanc du monticule vola en éclats. Un monstrueux serpent dressa sa forme sinueuse, capuchon déployé, dardant sa langue fourchue dans les airs.

Craignant pour ses jours, l'individu s'inclina. Si son heure était venue, au moins, il avait accompli sa mission. Il avait bien servi la créature.

Gerathon était libre.

Cet ouvrage a été mis en pages
par DV Arts Graphiques à La Rochelle

Impression réalisée par Novoprint
pour le compte des Éditions Bayard

 PEFC PEFC/14-38-00277

Imprimé en Espagne